Cynnwys

Cynnwys

Uned 1 – Her

Nod yr uned hon yw...
- Dod i adnabod eich dosbarth a'ch tiwtor
- Adolygu'r gorffennol cryno (e.e. rhedais i, bwytodd e)
- Siarad am heriau a chwaraeon
- Dysgu geirfa ac idiomau newydd

Geirfa

- **enwau benywaidd** *feminine nouns*
- **enwau gwrywaidd** *masculine nouns*
- **berfenwau** *verb-nouns*
- **ansoddeiriau** *adjectives*
- **arall** *others*

dawn (doniau)	*talent(s)*
her(iau)	*challenge(s)*
llinell derfyn (llinellau terfyn)	*finishing line(s)*
ymdrech(ion)	*effort(s)*
ysgyfarnog(od)	*hare(s)*

balchder	*pride*
cyhyr(au)	*muscle(s)*
llysenw(au)	*nickname(s)*
milwr (milwyr)	*soldier(s)*
pellter(au/oedd)	*distance(s)*

codi pwysau	*to lift weights, weightlifting*
cyflawni	*to achieve, to fulfil*
datrys	*to solve*
gwibio	*to dart, to sprint*
herio	*to challenge*
llongyfarch	*to congratulate*
trechu	*to defeat, to beat*

buddugol	*triumphant*
corfforol	*physical*
creadigol	*creative*
cystadleuol	*competitive*
eithafol	*extreme*
ffeithiol	*factual*
serth	*steep*

a'i wynt yn ei ddwrn	*moving at a quick pace / out of breath*
go iawn	*real*
wnaiff hynny ddim drwg	*it won't do any harm*
yn gwmws	*exactly*
yn y fan a'r lle	*there and then*

Siaradwch

Ar y bwrdd mae cardiau sy'n disgrifio sut mae pobl yn teimlo neu bethau y maen nhw'n eu gwneud.

i. Yn y tabl, mae rhestr o'r geiriau sy ar y cardiau. Gyda'ch partner, ceisiwch ffeindio'r disgrifiad gorau o bob gair.

Gair	Disgrifiad
cystadleuol	sialens anodd
rhestri	sut i goginio rhywbeth
her	syniadau gwahanol a diddorol
creadigol	help i gofio pethau mae'n rhaid i chi eu gwneud
datrys	peintio a phapuro
llyfr ffeithiol	disgrifiad o berson sy eisiau ennill bob tro
rysáit	tawel/heb symud
llonydd	ateb
addurno	ddim yn stori

ii. Dewiswch **ddau** gerdyn sy'n eich disgrifio chi'n dda, ac **un** cerdyn sydd ddim yn eich disgrifio chi'n dda o gwbl!

Mae llawer o eiriau lluosog *(plural)* ar y cardiau. Heb edrych yn ôl, dych chi'n cofio beth yw'r lluosog?

gŵyl ....

nofel ....

problem ....

noswaith ....

llyfr ....

rysáit ....

pen-blwydd ....

lle ....

bwyd ....

rhestr ....

Gwrando 1
Wil ac Elin

Mae Wil ac Elin yn gweithio gyda'i gilydd. Maen nhw'n cael brecwast yn ffreutur (*canteen*) y gwaith, ac mae Wil yn dweud ei fod wedi gosod her iddo fe ei hunan.

i. Gwrandewch am y geiriau hyn:

cael gwared	cyhyrau	hollol benderfynol
melys	5 bob ochr	y gampfa
codi pwysau	pethau iachus	wnaiff hynny ddim drwg...

ii. Ar ôl gwrando eto, atebwch y cwestiynau hyn gyda'ch partner:

Beth mae Wil yn ei gael i frecwast?

....

Beth yw her Wil?

....

Erbyn pryd mae e eisiau cyflawni'r her?

....

Pa ymarfer corff mae e wedi'i wneud?

....

Archebodd e fwyd iach i ginio?

....

Codi pwysau – dych chi'n gallu meddwl am eiriau eraill mae'n bosib eu rhoi o flaen y gair 'pwysau'?

....

Siaradwch:
Sut dych chi'n cadw'n heini?

Adolygu'r gorffennol cryno

Beth wnaethoch chi a'ch partner yn ystod yr haf?

	mis Mehefin	mis Gorffennaf	mis Awst
fi			
fy mhartner			

Cadarnhaol		Cwestiwn Treiglad Meddal		Negyddol Treiglad Meddal / Llaes	
Rhedais i	Talais i	Redais i?	Dalais i?	Redais i ddim	Thalais i ddim
Rhedaist ti	Talaist ti	Redaist ti?	Dalaist ti?	Redaist ti ddim	Thalaist ti ddim
Rhedodd e/hi	Talodd e/hi	Redodd e/hi?	Dalodd e/hi?	Redodd e/hi ddim	Thalodd e/hi ddim
Rhedon ni	Talon ni	Redon ni?	Dalon ni?	Redon ni ddim	Thalon ni ddim
Rhedoch chi	Taloch chi	Redoch chi?	Daloch chi?	Redoch chi ddim	Thaloch chi ddim
Rhedon nhw	Talon nhw	Redon nhw?	Dalon nhw?	Redon nhw ddim	Thalon nhw ddim

Cofiwch, hefyd, fod y ffurfiau isod yn gyffredin iawn, iawn.

Cadarnhaol	Cwestiwn	Negyddol
(Gw)nes i redeg/dalu.	(W)nes i redeg/dalu?	(W)nes i ddim rhedeg/talu.
(Gw)nest ti redeg/dalu.	(W)nest ti redeg/dalu?	(W)nest ti ddim rhedeg/talu.
(Gw)naeth e/hi redeg/dalu.	(W)naeth e/hi redeg/dalu?	(W)naeth e/hi ddim rhedeg/talu.
(Gw)naethon ni redeg/dalu.	(W)naethon ni redeg/dalu?	(W)naethon ni ddim rhedeg/talu.
(Gw)naethoch chi redeg/dalu.	(W)naethoch chi redeg/dalu?	(W)naethoch chi ddim rhedeg/talu.
(Gw)naethon nhw redeg/dalu.	(W)naethon nhw redeg/dalu?	(W)naethon nhw ddim rhedeg/talu.

Help llaw

- **Cofiwch** fod berf gryno'n treiglo'n **feddal** ar ddechrau cwestiwn.
- Ar ddechrau brawddeg negyddol, mae T C P yn treiglo'n llaes, a B G D M Ll Rh yn treiglo'n feddal, e.e. **ch**lywais i ddim, **dd**arllenais i ddim.
- Mae gwrthrych (*object*) y ferf yn treiglo hefyd, sef y gair sy'n dilyn y person ar ôl y ferf, e.e.
  Rhedais i **dd**eg milltir wythnos diwethaf.
  Penderfynon nhw **f**ynd i'r dref.
  Bwytodd hi **g**acen i de.
  Colloch chi **r**aglen dda ar y teledu.
- Dyw'r **gwrthrych amhendant** ddim yn treiglo yn dilyn **ddim** mewn brawddegau negyddol, e.e.
  Fwytodd hi ddim **b**rechdanau o gwbl.
  Phrynais i ddim **d**illad newydd.

Darllenwch y darn isod, a thanlinellwch fôn y berfau. Mae'r ferf gyntaf wedi ei gwneud i chi.

Cerddais i at y llinell. Anadlais i'n drwm. Clywais i sŵn y gwn. Dechreuodd y ras. Rhedais i'n gyflym dros y bryn – yn rhy gyflym. Arhosais i am funud wrth ochr y llwybr. Yfais i ddiod o ddŵr. Dechreuais i redeg eto, yn araf. Ond, roedd carreg fawr ar y llwybr. Cwympais i. Roedd fy nghoes yn brifo'n ofnadwy. Cerddais i i'r ochr. Gwyliais i'r rhedwyr eraill yn mynd heibio.

Nawr, edrychwch ar y bonion sy wedi'u tanlinellu, ac ysgrifennwch y **berfenwau**.

Er enghraifft: cerdded

....

....

Gyda'ch partner, llenwch y bylchau yn yr amser gorffennol

....	e'r fedal aur am yr ail dro.	(ennill)
....	nhw Oleuni'r Gogledd ar eu gwyliau.	(gweld)
....	ni redeg marathon Caerdydd.	(mwynhau)
....	i ar nofel Gymraeg yn y car.	(gwrando)
....	y ferch wneud naid bynji i godi arian.	(cynnig)
....	nhw eu swyddi i deithio yn Ewrop.	(gadael)
....	nhw gopa'r Wyddfa mewn llai nag awr.	(cyrraedd)
....	ni arian i ddechrau busnes.	(benthyg)
....	i rywun yn torri i mewn i fy nhŷ.	(dal)
....	i yn fy swydd newydd fis yn ôl.	(dechrau)

Ymarfer

Rhedais i ddwy filltir ddoe.
Cerddais i ddwy filltir ddoe.
Bwytais i ddau ddarn o dost ddoe.
Prynais i bedwar crys newydd ddoe.
Peintiais i ddwy ystafell ddoe.
Smwddiais i naw crys ddoe.
Gwnes i ddwy gacen ddoe.
Daliais i dri thrên gwahanol ddoe.
Coginiais i ginio i chwech ddoe.
Cyrhaeddais i adre am un ar ddeg o'r gloch.

Rhedais i dair milltir.
Ysgrifennais i dri llythyr ddoe.
Talais i bum bil ddoe.
Ffoniais i dri ffrind ddoe.
Darllenais i ddau bapur newydd ddoe.
Ces i dri llythyr ddoe.
Benthycais i bum llyfr o'r llyfrgell.
Gadawais i'r dafarn am ddeg o'r gloch.

Darllen

Guto Nyth Brân

Geirfa:
llysenw **serth** **ysgyfarnog** **dawn** **llwynog**

Rhedwr cyflym iawn oedd Guto Nyth Brân. Cafodd ei eni yn 1700 yn y Rhondda, a'i enw go iawn oedd Griffith Morgan. Cafodd ei **lysenw** achos ei fod yn byw ar fferm o'r enw Nyth Brân.

Pan oedd Guto'n fachgen ifanc, sylweddolodd ei dad fod **dawn** arbennig ganddo. Roedd e'n gallu casglu'r defaid at ei gilydd yn gyflymach na'r cŵn, ac yn gallu dal **ysgyfarnogod** a **llwynogod** ar ei ben ei hun.

Cariad Guto oedd Siân y Siop, a hi oedd yn trefnu ei rasys. Trefnodd ras i Guto yn erbyn capten o Loegr ar Gomin Hirwaun, ger Aberdâr yn ne-ddwyrain Cymru. Doedd y capten erioed wedi colli ras. Ond Guto enillodd, a chafodd £400 yn wobr.

Ymhen amser, roedd Guto wedi trechu holl redwyr yr ardal. Ond, yn 1737, daeth rhedwr newydd i'w herio, sef Sais o'r enw Prince.

Rasiodd Guto yn erbyn Prince o Gasnewydd i Fedwas (tua 12 milltir). Roedd cefnogwyr Prince wedi taflu gwydr ar y llwybr er mwyn ceisio anafu Guto. Prince oedd ar y blaen am amser hir, ond wrth ddringo'r rhiw **serth** ar y ffordd i mewn i Fedwas, gwibiodd Guto heibio iddo, a'i wynt yn ei ddwrn. Enillodd y ras mewn 53 munud, a'i wobr oedd 1,000 Gini (£150,000 heddiw).

Roedd Siân yn aros am Guto wrth y llinell derfyn. Rhoddodd ei breichiau amdano, a churo'i gefn i'w longyfarch. Roedd calon Guto'n curo'n drwm ar ôl ei waith caled. Yn drist iawn, cwympodd Guto'n farw yn y fan a'r lle.

Cysylltwch yr idiomau hyn â'r ystyr cywir

go iawn
a'i wynt yn ei ddwrn
yn y fan a'r lle

ar yr eiliad honno'n union
gwir, real
yn gyflym iawn / allan o wynt

Siaradwch â'ch partner am y lluniau hyn o stori Guto Nyth Brân.

Rhowch nhw yn y drefn gywir a dywedwch y stori wrth eich gilydd (partner 1, wedyn partner 2) heb edrych yn ôl ar y sgript os yw'n bosib.

Gwylio a gwrando 2

Geirfa:
milwr **yn gwmws**
Gwrandewch ar Lowri Morgan yn siarad am sut mae hi'n paratoi i redeg ras heriol. Gwnewch nodiadau.

Yn eich grwpiau, gan ddefnyddio eich nodiadau, ceisiwch feddwl am dri chyngor i rywun sy'n bwriadu rhedeg ras hir a heriol am y tro cyntaf.

1. ....

....

2. ....

....

3. ....

....

Dyw Lowri ddim yn dweud 'Dwedodd e wrtho i' na 'Dwedodd fy hyfforddwr ar y pryd'. Beth mae hi'n ei ddweud?

Dwedodd e wrtho i ....

Dwedodd fy hyfforddwr ar y pryd ....

Geiriau pwysig i fi

× .... × ....

× .... × ....

Rhestr wirio
Dw i'n gallu...

defnyddio'r gorffennol cryno yn gywir.	
siarad am heriau a chwaraeon, gan ddefnyddio geirfa ac idiomau newydd.	

Uned 2 – Edrych i'r Dyfodol

Nod yr uned hon yw...
- Adolygu'r dyfodol
- Siarad am bethau dych chi'n credu fydd yn digwydd yn y dyfodol
- Dysgu geirfa ac idiomau newydd er mwyn siarad am y dyfodol

Geirfa

- **enwau benywaidd** *feminine nouns*
- **enwau gwrywaidd** *masculine nouns*
- **berfenwau** *verb-nouns*
- **ansoddeiriau** *adjectives*
- **arall** *others*

bwydlen(ni)	*menu(s)*
chwilen (chwilod)	*beetle(s)*
tudalen flaen	*front page*

meithrin	*to nurture, to cultivate*
plannu	*to plant*

at eich dant	*to your taste*

adloniant	*entertainment*
gwrtaith (gwrteithiau)	*fertiliser(s)*
gwyddonydd (gwyddonwyr)	*scientist(s)*
india corn	*maize, sweetcorn*
nwy methan	*methan gas*
pennawd (penawdau)	*headline(s)*
sioncyn (sioncod) y gwair	*grasshopper(s)*
trychfil(od)	*insect(s)*
ynni	*energy*

gwyddonol	*scientific*
ysgafn	*light*

Geiriau pwysig i fi

× ....

× ....

× ....

× ....

Mewn grwpiau, heb edrych yn ôl ar Uned 1, nodwch ffurfiau lluosog y geiriau hyn.

rhestr .... gŵyl ....

problem .... noson ....

llyfr .... rysáit ....

nofel .... pen-blwydd ....

bwyd .... lle ....

Cwmwl geiriau

Mae geiriau o Uned 1 yn y cwmwl geiriau. Dych chi'n cofio ystyr y geiriau? Gweithiwch gyda'ch partner i wneud pum brawddeg yn defnyddio berfau yn yr amser **gorffennol**. Rhaid i chi gynnwys gair o'r cwmwl geiriau ym mhob brawddeg, e.e. Rhedodd Menna lan y rhiw **serth** yn gyflym.

serth
creadigol
ffeithiol
llonydd
trechu
rhestr
llinell derfyn
rysáit
addurno
ymdrech
herio
cyhyrau
gwibio
milwr

1. ....

2. ....

3. ....

4. ....

5. ....

Adolygu'r dyfodol

Ysgrifennwch ddyddiau'r wythnos yn y golofn gyntaf. Yna, siaradwch â'ch partner am beth fyddwch chi'n ei wneud yr wythnos hon.

	Fi	**Fy mhartner**
Fory		

Help llaw

Bod	**Gweld**
Bydda i	Gwela i
Byddi di	Gweli di
Bydd e/hi	Gweliff e/hi
Byddwn ni	Gwelwn ni
Byddwch chi	Gwelwch chi
Byddan nhw	Gwelan nhw

Fel arfer, dych chi'n rhoi'r terfyniadau hyn ar y berfau:

-a i	-wn ni
-i di	-wch chi
-iff e/hi	-an nhw

Mae **Bydda i'n gweld** yn cyfateb i *I'll be seeing* ac mae **Gwela i** yn cyfateb i *I'll see.*

Cofiwch am y **treiglad meddal** ar ôl berf gryno, e.e. 'Bwyta i frechdan i ginio'.

Ymarfer

Gyda'ch partner, cysylltwch y brawddegau â'r atebion cywir. Yna, dywedwch y brawddegau wrth eich gilydd, gan gymryd tro i wneud Rhan 1 a Rhan 2.

Rhan 1	Rhan 2
Mae fy nghar wedi torri i lawr.	Rhoia i dabled i ti.
Mae syched arna i.	Rheda i i'r siop tships.
Mae pen tost gyda fi.	Troia i'r gwres lan.
Dw i'n oer!	Diffodda i'r gwres.
Dw i'n dwym!	Helpa i di.
Mae eisiau bwyd arna i.	Rhoia i lifft i ti.
Mae problem gyda fi.	Pryna i ddiod i ti.

Edrychwch ar yr atebion:

Fydda i'n mynd yn y roced? .... Byddi!

Fyddi di'n dod gyda fi? .... Bydda!

Fydd y ci'n dod gyda ni? .... Na fydd, mae e'n rhy hen.

Fydd y gath yn dod gyda ni?......................... Na fydd, mae hi'n rhy wyllt.

Fydd y pysgod aur yn dod? .... Na fyddan, does dim digon o le i'r tanc.

Fyddwn ni'n teithio am amser hir? .... Byddwn.

Dw i ddim eisiau mynd! Bydd hiraeth arna i!

Gyda'ch partner, cysylltwch y ferf gywir â gweddill y frawddeg.

Talwn .... ni ddillad newydd ar gyfer y briodas.

Fyddwch .... ni'r bil yfory.

Prynwn .... chi'n mynd dramor eleni?

Gwrandawa .... nhw'r tiwtor yn y wers wythnos nesa.

Weli .... i ar y newyddion bore yfory.

Gwelan .... di Jac yfory?

Siarad am y dyfodol

Gweithiwch mewn grwpiau. Defnyddiwch y cardiau geirfa i feddwl am bum peth fydd yn digwydd yn y flwyddyn 2150, a phum peth fydd ddim yn digwydd. Defnyddiwch **Bydd / Byddwn ni** neu **Fydd dim / Fyddwn ni ddim** i wneud brawddegau. Byddwch chi'n adrodd yn ôl i weddill y dosbarth.

Storom eirfa – Y dyfodol

Nodwch o leiaf 6 gair sy'n dod i'ch meddwl chi wrth feddwl am y dyfodol.

Gwylio a gwrando

Byddwch chi'n gwylio fideo o bum person yn siarad am beth maen nhw'n meddwl fydd yn digwydd yn y dyfodol. Gwnewch nodiadau. Yna, ysgrifennwch y prif bwyntiau mae tri ohonyn nhw'n eu dweud.

Enw: ....

Enw: ....

Enw: ....

Darllen

Trychfilod: bwyd y dyfodol?

Geirfa:

gwrtaith **nwy methan** **amgylchedd** **gwyddonwyr**
ynni **plannu** **trychfilod** **meithrin**
bwydlen **india corn** **sioncyn y gwair** **chwilod**
at eich dant chi

Erbyn y flwyddyn 2050, bydd rhwng 9-10 biliwn o bobl ar y ddaear. Bydd yn dipyn o her gwneud yn siŵr bod digon o fwyd i bawb – yn enwedig bwyd sy'n cynnwys protein. Yn y gorllewin ar hyn o bryd, cig sy'n rhoi protein i'r rhan fwyaf o bobl. Ond mae angen torri coed, clirio tir a defnyddio **gwrtaith** i gadw anifeiliaid. Ar ben hynny, mae anifeiliaid fferm yn creu llawer o **nwy methan** sy'n ddrwg i'r **amgylchedd**. Sut gallwn ni ddatrys y broblem yma, felly?

Mae **gwyddonwyr** yn gallu tyfu cig mewn labordy, ond mae angen llawer o **ynni** i wneud hynny. Mae ffa soia yn ddewis da achos eu bod nhw'n uchel mewn protein, ond mae angen llawer o dir i **blannu** a thyfu'r ffa hyn. Dewis gwell, yn ôl rhai gwyddonwyr, yw bwyta **trychfilod**.

Trychfilod? Wir?

Ie'n wir. **Trychfilod** o bob math.

Byddwn ni'n:
- defnyddio llai o dir ffermio
- torri llai o goed
- defnyddio llai o **wrtaith**.

Hefyd, fyddwn ni ddim yn creu **nwy methan**, ac mae **gwyddonwyr** hefyd yn pwysleisio bod trychfilod yn rhan bwysig o ddeiet pobl mewn llawer o wledydd, e.e. Gwlad Thai, Viet Nam, Tsieina, Cambodia, Affrica, Mecsico, Colombia a Guinea Newydd.

Er hynny, dim bwyd i bobl mewn gwledydd pell yn unig yw **trychfilod**. Mae fferm a bwyty The Grub Kitchen yn Nhyddewi, Sir Benfro, yn **meithrin** ac yn coginio **trychfilod**. Gallwch chi ymweld â'r fferm i ddysgu am **drychfilod**, ac fe welwch chi rai ohonyn nhw ar y **fwydlen**. Rhai o ddewisiadau mwyaf poblogaidd y bwyty yw cawl **india corn** gyda **sioncyn y gwair**; tshili ffa du a **sioncyn y gwair** *chipotle*, ac i bwdin: crymbl afal gyda **chwilod** wedi'u tostio. Mae prydau mwy traddodiadol ar gael hefyd, os dyw **trychfilod** ddim **at eich dant chi**.

1. Gyda'ch partner, trafodwch pam mae'r geiriau hyn yn y darn darllen.

9-10 biliwn
nwy methan
ffa soia
trychfilod
Tyddewi
traddodiadol

2. Mae'r ferf gallwch chi yn y darn darllen. Ystyr gallwch chi yw *you can* neu *you'll be able to*. Yn aml iawn, 'dyn ni'n ei ddefnyddio yn y presennol yn lle dych chi'n gallu.

Gyda'ch partner, meddyliwch am atebion i'r brawddegau ar y chwith, gan ddefnyddio **Gallwch chi**. Er enghraifft:

Dw i angen esgidiau cerdded. > Gallwch chi brynu esgidiau cerdded yn y siop chwaraeon.
Dw i eisiau rhedeg marathon. >
Dw i eisiau chwarae pêl-droed. >
Dw i angen paent i addurno'r tŷ. >
Dw i angen prynu bwyd iach. >
Dw i eisiau prynu nofel. >
Dw i ddim eisiau eistedd yn llonydd. >

3. Ar ddiwedd y darn mae'r idiom 'at eich dant.' Llenwch y bylchau isod, gan dreiglo 'dant' os oes angen.

At fy i
At dy .... di
At ei .... e
At ei .... hi
At ein .... ni
At eich .... chi
At eu .... nhw

Siaradwch!
Gyda'ch partner, siaradwch am unrhyw fwyd, diod, dillad a rhaglen deledu sydd ddim at eich dant chi, ac esboniwch pam.

Papur newydd 2050

tudalen flaen **pennawd** **ysgafn** **adloniant**

Ar y dudalen nesaf, gwelwch chi fframwaith ar gyfer **tudalen flaen** papur newydd.

- Rhowch enw'r papur ym mlwch un. Gallwch chi feddwl am enw – does dim rhaid i chi roi teitl papur newydd go iawn.
- Meddyliwch am stori newyddion fydd yn digwydd yn 2050. Gallwch chi feddwl am stori ddoniol neu stori ddifrifol. Rhowch y **pennawd** ym mlwch dau.
- Ym mlychau tri a phedwar, ysgrifennwch y stori, a gwnewch lun i fynd gyda'r stori.
- Ym mlychau pump a chwech, rhowch stori a llun arall. Efallai fod y stori yma yn fwy **ysgafn**, am fyd **adloniant** neu chwaraeon.
- Pan fyddwch chi wedi gorffen eich tudalen flaen, cyflwynwch eich papur newydd i weddill y dosbarth.

Rhestr wirio

Dw i'n gallu...

defnyddio'r dyfodol yn gywir.	
siarad am wyddoniaeth a'r dyfodol, gan ddefnyddio geirfa newydd.	

01

02

03

04

05

06

Uned 3 – Y Goedwig

Nod yr uned hon yw...

- Adolygu berfau afreolaidd y dyfodol (mynd, dod, cael, gwneud)
- Siarad am fyd natur a hen storïau
- Dysgu geirfa ac idiomau newydd am fyd natur

Geirfa

addysg	*education*
poblogaeth(au)	*population(s)*
Y Deyrnas Unedig	*The UK*

crwydro	*to wander*
curo	*to knock*
magu	*to develop; to nurture*
mentro	*to dare*
nythu	*to nest*
parchu	*to respect*
saethu	*to shoot*

blaidd (bleiddiaid)	*wolf (wolves)*
clogyn(nau)	*cloak(s)*
coedwigwr (coedwigwyr)	*forester(s), ranger(s)*
tir(oedd)	*land(s)*

agored	*open*
cras	*rough* (e.e. llais)
maith	*long, lengthy*
syn	*surprised*
traws(-)	*cross-, trans-*

magu hyder	*to gain confidence, to develop confidence*
rheoli risg	*risk management*
tân agored (tanau agored)	*open fire(s)*
traws gwlad	*cross-country*

Geiriau pwysig i fi

×

×

×

×

Siaradwch

Bydd eich tiwtor yn rhoi pecyn o gardiau i'ch grŵp. Dewiswch gerdyn a'i ddarllen, gan lenwi'r bwlch.

e.e. Wythnos nesa, taclusa i...   > Wythnos nesa, taclusa i fy nghar.

Adolygu mynd, dod, cael a gwneud

Berfau afreolaidd yw **mynd**, **dod**, **cael** a **gwneud**.

MYND	DOD	CAEL	GWNEUD
a i	do i	ca i	gwna i
ei di	doi di	cei di	gwnei di
aiff e/hi	daw e/hi	caiff e/hi	gwnaiff e/hi
awn ni	down ni	cawn ni	gwnawn ni
ewch chi	dewch chi	cewch chi	gwnewch chi
ân nhw	dôn nhw	cân nhw	gwnân nhw

Mae'n gyffredin i weld **f** ar ddiwedd y person cyntaf unigol:
af i, dof i, caf i, gwnaf i.

Fel yn yr amser gorffennol, mae'n bosibl defnyddio ffurfiau **gwneud** i siarad yn y dyfodol cryno:

(Gw)na i helpu
(Gw)nei di helpu
(Gw)naiff e/hi helpu
(Gw)nawn ni helpu
(Gw)newch chi helpu
(Gw)nân nhw helpu

Dril

Ble ei di fory?   A i i'r gwaith.
Ble aiff hi?
Ble aiff John?
Ble awn ni?
Ble ewch chi?
Ble ân nhw?

Gwrando

Byddwch chi'n gwrando ar fersiwn Tudur Morgan o hen gân werin o'r enw 'Ble'r Ei Di?'.

Geirfa: **nythu** **pren** **dacw fo** **mi syrthi**

i. Bydd eich tiwtor yn rhoi geiriau'r gân ar gardiau i chi. Gyda'ch partner, rhowch nhw yn y drefn gywir.

ii. Gwnewch frawddegau'n defnyddio'r dyfodol cryno gyda'r geiriau hyn:

1. Mynd + fi
2. Dod + nhw
3. Mynd + chi
4. Dod + fi
5. Mynd + hi
6. Mynd + ti

'Dyn ni'n defnyddio **cael** a **gwneud** i ateb cwestiynau.

Gyda'ch partner, ffeindiwch yr atebion cywir i'r cwestiynau hyn.

Weli di dy ffrind yfory? .... Cei.
Siaradwn ni nes ymlaen? .... Gwnaf.
Ga i agor y ffenestr? .... Gwnaiff.
Gaiff Rhian fenthyg dy gar? .... Gwnawn.
Gân nhw gynnau tân fan hyn? .... Gwnaf.
Fwytwch chi'r bwyd yma i gyd? .... Gwnân.
Wnaiff hi aros yn yr orsaf amdanon ni? .... Caiff.
Orffennan nhw'r gwaith mewn pryd? .... Cân.

Cofiwch am y **treiglad llaes** yn y negyddol: Ga i fynd nawr? Na chei.

Gawn ni fynd nawr? Na chewch.

'Dyn ni hefyd yn defnyddio **gwneud** i ateb gorchymyn:

Taclusa dy ystafell wely! Gwnaf.

Peidiwch â mynd i lawr at yr afon. Na wnawn.

Gyda'ch partner, meddyliwch am gwestiynau ar gyfer pob brawddeg, fel yr enghraifft gyntaf. Yna, dywedwch y cwestiynau a'r brawddegau wrth eich gilydd, gan gymryd tro i wneud y ddwy ran.

Mae eich bil chi'n barod. .... Ga i ei dalu e nawr?

Mae eich car chi'n barod. ....

Mae eich sbectol chi'n barod. ....

Mae eich ystafell chi'n barod. ....

Mae eich cyfrifiadur chi'n barod. ....

Sgwrs Ad-drefnwch y llinellau i greu sgwrs rhwng dau berson:

Person A	Person B
Braf! Dw i wrth fy modd yn mynd am dro.	Dim problem. Erbyn pryd do i draw?
Oes amser gyda ti? Basai hynny'n wych.	Druan â ti. Helpa i ti ddydd Sul os wyt ti eisiau.
Dere draw erbyn deg. Byddwn ni'n siŵr o orffen erbyn pump a gwna i swper i ti.	Os bydd hi'n braf, dw i'n credu a i am dro yn y goedwig tu ôl i'r tŷ.
Do i rywbryd, ond ddim yfory. Bydda i yn y tŷ drwy'r dydd yn addurno'r lolfa.	Dyna ni 'te. Dyna fy mhenwythnos wedi'i drefnu. Crwydro'r goedwig yfory a phapuro ddydd Sul. Gwela i ti fore Sul.
Nos Wener. Hwrê! Beth wyt ti am wneud dros y penwythnos?	Mae croeso i ti ddod gyda fi.

Darllen

Coedwigoedd yn y Ffindir

Y Deyrnas Unedig	**poblogaeth**	**tir**	**parciau cenedlaethol**
casglu	**madarch**	**crwydro**	**parchu**
addysg	**profion**		

Mae'r Ffindir tua'r un maint â'r **Deyrnas Unedig** (y DU), ond mae **poblogaeth** y wlad yn llawer llai – tua degfed ran o boblogaeth y DU. Mae coed yn tyfu ar 65% o'r **tir**. Hyd yn oed yn y brifddinas, Helsinki, mae coedwigoedd mawr. Mae 39 o **barciau cenedlaethol** yn y Ffindir, a'r rhai mwyaf yn y Lapdir yn y gogledd.

Mae pobl y Ffindir yn defnyddio coedwigoedd drwy'r flwyddyn ac maen nhw'n rhan o'u bywyd bob dydd yn yr awyr agored. Maen nhw'n cerdded yn y coedwigoedd yn y gwanwyn a'r haf, yn **casglu** ffrwythau a **madarch** yn yr hydref ac yn sgïo **traws gwlad** drwy'r coed yn y gaeaf. Yn y Ffindir mae pawb yn cael **crwydro** i ble bynnag maen nhw eisiau yn y coedwigoedd ond mae'n rhaid **parchu** natur a gofalu am fywyd gwyllt.

Mae coedwigoedd yn bwysig i **addysg** yn y Ffindir hefyd. Mae plant ysgol yn treulio llawer o amser mewn coedwigoedd lle maen nhw'n dysgu am fyd natur ac yn gwneud pethau fel dringo, adeiladu â hen ddarnau pren a choginio ar **dân agored**.

Erbyn hyn, mae llawer o ysgolion Cymru yn defnyddio syniadau'r Ffindir am Ysgol y Goedwig. Maen nhw'n gweld bod plant yn **magu hyder**, yn cael hwyl wrth ddysgu, yn dysgu **rheoli risg** ac yn dysgu am fyw'n iach a chadw'n heini. Mae llawer o rieni'n hoffi'r syniad hefyd achos bod plant y dyddiau hyn yn treulio llawer o amser yn eistedd yn llonydd o dan do, ac yn cael llawer o **brofion** yn yr ysgol.

Mewn grŵp, ysgrifennwch **bum** pwynt pwysig o'r erthygl, yn eich geiriau eich hunain.

1. ....

2. ....

3. ....

4. ....

5. ....

Yna, nodwch beth yw:

cross-country skiing ....

open fire ....

risk management ....

to gain confidence ....

Allwch chi greu ymadroddion eraill â'r geiriau hyn?

agored ....

magu ....

rheoli ....

Ystyr y gair 'mawr' yn y darn yw *big*. Edrychwch ar yr isod. Mae 'mawr' yn newid yr ystyr – i beth?

cot fawr ....

llygoden fawr ....

Stryd Fawr ....

Siaradwch

Dych chi'n mwynhau bod tu fa's? Dych chi'n gwneud rhywbeth tu fa's yn eich amser hamdden, e.e. pysgota? Dych chi'n casglu bwyd gwyllt, e.e. ffrwythau a madarch?

Nodwch y pethau y byddwch chi'n eu gwneud tu fa's yn ystod yr wythnos i ddod.

....

....

....

....

....

....

....

....

....

....

....

....

....

....

....

....

....

....

Gwrando 2
Hugan Fach Goch

Geirfa

amser maith yn ôl	**curo**	**blaidd**	**Hugan Fach Goch**
clogyn	**mentro**	**coedwigwr**	**saethu**
cras	**syn**		

i. Gwrandewch am y geiriau uchod wrth glywed y darn gwrando am y tro cyntaf. Yr ail dro, rhowch rif o 1-10 wrth y geiriau, i ddangos eu trefn nhw yn y stori.

ii. Gweithiwch mewn parau. Cymerwch dro i ddweud stori 'Hugan Fach Goch' wrth eich gilydd. Dyma rai pwyntiau i'ch helpu:

- Roedd Mam-gu Hugan Fach Goch yn dost. Aeth Hugan Fach Goch i ymweld â hi.
- Gwelodd Hugan Fach Goch y blaidd yn y goedwig. Dywedodd e wrthi hi am fynd ar y llwybr anghywir.
- Aeth y blaidd i fwthyn Mam-gu. Gwisgodd e ei dillad hi.
- Ceisiodd y blaidd fwyta Hugan Fach Goch.
- Daeth dau goedwigwr heibio, i achub Hugan Fach Goch a Mam-gu.

Siaradwch

Pa storïau plant ro'ch chi'n eu hoffi pan o'ch chi'n blant?
Ydy storïau'n dysgu pethau pwysig i blant?
Oedd rhai storïau'n codi ofn arnoch chi?

Rhestr wirio
Dw i'n gallu...

defnyddio berfau dyfodol cryno afreolaidd yn gywir.	
siarad am y goedwig a byd natur, gan ddefnyddio geirfa ac idiomau newydd.	

Uned 4 – Teimlo'n Lletchwith

Nod yr uned hon yw...
- Adolygu'r amodol
- Siarad am bethau sy'n gwneud i ni deimlo'n lletchwith
- Dysgu geirfa ac idiomau newydd

Geirfa

alaw(on)	*melody (melodies)*
cymeradwyaeth	*applause*
mantais (manteision)	*advantage(s)*
penbleth	*quandary, dilemma*

addo (i rywun)	*to promise (someone)*
cweryla (â)	*to argue (with someone), to quarrel*
cyfaddef (wrth)	*to admit (to)*
cyffroi	*to excite, to become agitated*
difaru	*to regret*
maddau (i rywun)	*to forgive (someone)*
peri	*to cause*
pylu	*to fade*
sylwebu	*to commentate*
trawsnewid	*to transform, to transition*
tywyllu	*to darken*

anrhydedd(au) (ben+gwr)	*honour(s)*
atgof(ion)	*memory (memories)*
cyfrwng (cyfryngau)	*medium (media)*
cywilydd	*shame*
derbyniad(au)	*reception(s)*
dilledyn (dillad)	*garment (clothes)*
dwli	*nonsense*
ffefryn (ffefrynnau)	*favourite one(s)*
profiad(au)	*experience(s)*
rhywfaint	*some, a little*

arferol	*usual*
cyfartal	*equal*
cymdeithasol	*social, sociable*
cysurus	*comfortable, cosy*
democrataidd	*democratic*
lletchwith	*awkward*
pennaf	*main, major, principal*
pwyllog	*level-headed, measured*
rheolaidd	*regular*
rhwystredig	*frustrated*

braint ac anrhydedd	*an honour and a privilege*
bron â marw eisiau mynd	*dying to go*
megis	*such as, like*
siarad dwli	*to talk nonsense*
'slawer dydd	*back in the day, a long time ago*
yn bennaf	*mainly*

Yr amodol

'Dyn ni'n defnyddio'r amodol i siarad am bethau sydd ddim yn bendant, fel *would*, *could* a *should* yn Saesneg. Dyma ferfau defnyddiol yn yr amodol.

Baswn i	Taswn i	Hoffwn i	Gallwn i	Dylwn i
Baset ti	Taset ti	Hoffet ti	Gallet ti	Dylet ti
Basai fe/hi	Tasai fe/hi	Hoffai fe/hi	Gallai fe/hi	Dylai fe/hi
Basen ni	Tasen ni	Hoffen ni	Gallen ni	Dylen ni
Basech chi	Tasech chi	Hoffech chi	Gallech chi	Dylech chi
Basen nhw	Tasen nhw	Hoffen nhw	Gallen nhw	Dylen nhw

Byddwch chi hefyd yn dod ar draws y ffurfiau hyn:

Byddwn i	Bydden ni
Byddet ti	Byddech chi
Byddai fe/hi	Bydden nhw

Help llaw

Ffurfiau'r ferf **bod** yw **baswn** a **taswn**. Gallwn ni ddefnyddio **baswn** i ddweud llawer o bethau yn yr amodol.

Mae'r brawddegau isod yn dweud yr un peth, sef *I would like to go*:

Baswn i'n hoffi mynd. Hoffwn i fynd.

Mae **Hoffwn i** yn gryno (*concise*). Mae angen defnyddio **yn** ar ôl ffurfiau **bod** ac mae treiglad meddal yn dilyn y ffurfiau cryno.

Gyda'ch partner, llenwch y bylchau isod, a dywedwch y brawddegau a'r ymatebion wrth eich gilydd.

Dwedais i rywbeth twp. ....*Faswn i ddim wedi dweud beth ddwedaist ti*.

Gwnes i rywbeth twp. ....

Gofynnais i gwestiwn twp. ....

Gwisgais i wisg ffansi ddwl. ....

Prynais i rywbeth hurt. ....

Dewisais i'r bwyd anghywir. ....

Phrynais i ddim teiars newydd. ....*Taset ti ond wedi prynu teiars newydd*...........

Es i ddim i'r garej. ....

Siaradais i ddim â'r mecanic. ....

Welais i ddim iâ ar yr heol. ....

Wrandawais i ddim ar y rhybudd. ....

Arhosais i ddim gartre. ....

Dych chi'n cofio...?

Hoffwn i fynd. .... Hoffwn i **fod wedi** mynd.

Dylwn i fynd. .... Dylwn i **fod wedi** mynd.

Gallwn i fynd. .... Gallwn i **fod wedi** mynd.

Gwrando

Byddwch chi'n gwrando ar Wil ac Elin yn sgwrsio yn y ffreutur yn y gwaith. Yn gynta, gwrandewch am:

cweryla **addo** **siarad dwli** **bron â marw** **maddau**

Dych chi'n deall y geiriau hyn?

i. **Cywir neu anghywir: gyda'ch partner, penderfynwch beth sy'n gywir.**

1. Mae Jac wedi cael tocyn i Wil ar gyfer gêm rygbi.
2. Roedd Wil wedi addo mynd â Caren i glwb nos.
3. Mae'n rhaid i Caren weithio nos Wener.
4. Mae Caren yn hoffi rygbi.
5. Mae Elin yn credu dylai Wil fynd i'r gêm.

ii. Byddwch chi'n cael copi o sgript y darn gwrando. Gyda'ch partner, tanlinellwch y berfau **dyfodol** mewn un lliw, a'r berfau **amodol** mewn lliw gwahanol.

iii. Dewiswch **dair** brawddeg o'r sgript: un frawddeg sy'n defnyddio'r **dyfodol** a dwy frawddeg sy'n defnyddio'r **amodol**. Cyfieithwch nhw.

Darllen 1

Cyn darllen holiadur Carolyn Hitt, y newyddiadurwraig, trafodwch y geiriau hyn â'ch partner. Dych chi'n gwybod rhai ohonyn nhw? Dych chi'n gallu dyfalu (*guess*) beth yw'r lleill?

atgof	**trawsnewid**	**cywilydd**	**cymeradwyaeth**
yn bennaf	**pylu**	**cyfeillgar**	**dilledyn**
cysurus	**ffefryn**	**anrhydedd**	

Ateb y galw: Carolyn Hitt

Beth yw dy atgof cyntaf?

Y **trawsnewid** mawr o'r cot i'r 'gwely mawr'.

Beth yw'r digwyddiad sydd wedi codi'r cywilydd mwyaf arnat ti erioed?

Mae gormod! Mewn derbyniad VIP ffansi mewn *marquee* yng Ngŵyl y Gelli unwaith, cwympais i'n syth ar fy nghefn a chael **cymeradwyaeth** achos llwyddais i gadw'r gwydr *champagne* mewn un darn. Ro'n i'n gorwedd yno fel y *Statue of Liberty* gyda fy mraich yn yr awyr!

Oes gyda ti unrhyw arferion gwael?

Dw i byth yn mynd i'r gwely'n ddigon cynnar – **yn bennaf** achos fy mod i'n aros ar fy nhraed tan 02:00 yn darllen pethau ar y we. Dw i ddim yn tacluso fy nesg yn ddigon aml chwaith.

Beth yw dy hoff le yng Nghymru, a pham?

Copa Mynydd y Bwlch sy'n edrych dros y Rhondda, lle ces i fy magu. Mae'r olygfa o'r cwm yn hyfryd. Mae'r mynyddoedd yn newid lliw wrth i'r golau **bylu**. Ro'n i wastad yn mynd ag ymwelwyr yno pan o'n i'n blentyn. Mae'n lle emosiynol iawn i mi erbyn hyn achos taw dyna'r lle olaf i mi fynd â Mam ychydig wythnosau cyn iddi farw.

Disgrifia dy hun mewn tri gair.

Creadigol. **Cyfeillgar**. Sensitif.

Pa ddilledyn baset ti'n methu byw hebddo?

Fy sliperi! Mae bod yn **gysurus** yn y tŷ yn bwysig i fi. Dw i hyd yn oed yn mynd â nhw ar wyliau.

Beth yw dy hoff albwm?

Blue - Joni Mitchell.

Cwrs cyntaf, prif gwrs neu bwdin – pa un yw dy ffefryn a beth fasai'r dewis?

Dw i'n dwlu ar bwdin. Pei Key Lime, pei banoffee, hufen iâ cnau coco neu unrhyw beth sy'n dod gyda chwstard.

Taset ti'n gallu bod yn rhywun arall am ddiwrnod, pwy fasai fe/hi?

Dw i'n ysgrifennu am rygbi rhyngwladol ers bron i 20 mlynedd ond alla i ddim dychmygu sut deimlad fasai chwarae dros Gymru... y pwysau, y boen, yr **anrhydedd**. Felly, hoffwn i fod yn gapten dros fy ngwlad mewn gêm sy'n penderfynu'r Gamp Lawn yn erbyn Lloegr – ac ennill, yn amlwg.

i. Dewch o hyd i'r berfau amodol yn y cyfweliad.
ii. Gyda'ch partner, ysgrifennwch ddiffiniad (yn Gymraeg) o'r geiriau hyn:

atgof cyntaf ....

copa mynydd ....

rygbi rhyngwladol ....

iii. Gyda'ch partner, gofynnwch gwestiynau'r holiadur i'ch gilydd.

Gwylio a gwrando

Byddwch chi'n gwylio fideo o enwogion yn siarad am brofiadau sy wedi codi cywilydd arnyn nhw.

Lowri Morgan

cyffroi **braint ac anrhydedd** **alaw werin** **rheolaidd** **rhwystredig**

1. Beth oedd y digwyddiad achosodd embaras i Lowri Morgan?

....

2. Sut roedd hi'n teimlo wedyn?

....

Ioan Hefin

cerddorfa ieuenctid **cyrsiau preswyl** **storfa** **damsgen**

1. Pa gêm roedd Ioan Hefin eisiau ei chwarae? ....

2. Am beth roedd e'n chwilio yn y storfa? ....

3. Beth ddigwyddodd? ....

Mae Ioan Hefin yn dweud ei fod e wedi 'esgus ei fod e ddim wedi digwydd'. Mae **esgus** yn golygu *to pretend* fan hyn. Allwch chi feddwl am ystyr arall i **esgus**? Gyda'ch partner, ysgrifennwch ddwy frawddeg yn defnyddio **esgus.**

1. ....

2. ....

Aneirin Karadog

'slawer dydd **peri** **pwyllog** **tywyllu** **taflunio**
amlinell **megis**

1. Pa ran o wyneb Aneirin oedd achos yr embaras?

....

2. I ba anifail roedd e'n debyg?

....

Heledd Cynwal

rhaglen gylchgrawn **croten**

1. Pam roedd y ferch fach ar y rhaglen?

....

2. Beth wnaeth Heledd Cynwal?

....

Gareth Rhys Owen

sylwebu

1. Beth yw gwaith Gareth Rhys Owen?

....

2. Beth wnaeth e?

....

Darllen 2

Mae'n achosi penbleth i siaradwyr Cymraeg – dych chi'n galw 'ti' neu 'chi' ar rywun?

Geirfa: profiad cyfartal democrataidd rhywfaint cymdeithasol arferol Oesoedd Canol mantais cyfrwng

Mae'n siŵr fod pob un ohonon ni wedi cael y **profiad** lletchwith yma: galw 'chi' ar rywun, a chael 'ti' yn ôl. Neu, yn waeth, cynnig 'ti' a derbyn ateb – caredig ond pendant – gyda'r 'chi' mwy ffurfiol. Neu – "llai o'r 'ti' 'na!"

Mae gan bawb farn ar y defnydd o 'ti' a 'chi'. Mae rhai'n credu bod 'ti' yn fwy **cyfartal** a mwy **democrataidd** na 'chi'. Ond i bobl eraill, mae colli'r 'chi' yn arwydd o golli **rhywfaint** o liw'r iaith, ac o golli patrwm **cymdeithasol** hefyd.

Dyw'r defnydd o 'ti' a 'chi' ddim yn syml. Erbyn heddiw, mae'n **arferol** i blant alw eu rhieni'n 'ti'. Ond mae rhai **parau priod** sydd wedi magu **llond tŷ** o blant yn galw 'chi' ar ei gilydd. Ac mewn rhai ardaloedd, mae'n gyffredin i fechgyn y teulu fod yn 'ti' i bawb, a'r merched, ar y llaw arall, yn 'chi'.

Mae pobl weithiau'n osgoi defnyddio 'ti' **rhag ofn** iddyn nhw 'siarad i lawr' â rhywun. Mae'r penbleth hwn yn y Ffrangeg hefyd, gyda 'tu' (ti) a 'vous' (chi). Yn yr **Oesoedd Canol** roedd 'thou' a 'thee' yn cael eu defnyddio yn Saesneg ond maen nhw wedi diflannu erbyn hyn.

Mae'n deg dweud bod 'ti' yn fwy cyffredin ar y we. Mae'n **fantais** fod 'ti' yn fyrrach na 'chi' wrth gwrs, ond i lawer o ddefnyddwyr y we, mae'n **gyfrwng** democrataidd lle mae pawb yn **gyfartal** a lle mae defnydd cyson o 'ti' yn dderbyniol. Ond dyw pawb ddim yn cytuno.

Sut byddwn ni'n defnyddio 'ti' a 'chi' yn y dyfodol, felly? **Pwy a ŵyr?** Tasai'n rhaid i mi ddyfalu, baswn i'n dweud taw "mwy o'r 'ti' a "llai o'r 'chi' 'na" fydd hi!

Addasiad o erthygl gan Dr Dylan Foster Evans i wefan *BBC Cymru Fyw*, 4 Hydref 2016.

parau priod Mae'n deg dweud Pwy a ŵyr? llond tŷ rhag ofn

i. Gyda'ch partner, cyfieithwch yr ymadroddion uchod.

....

....

ii. Gyda'ch partner, meddyliwch beth yw:

llond llaw
llond llwy
llond côl o waith / llond trol o waith
llond bol
llond lle

Allwch chi feddwl am **ddwy** frawddeg lle basech chi'n defnyddio'r ymadroddion hyn?

1. ....

2. ....

Siaradwch

Beth dych chi'n ei feddwl o 'ti' a 'chi'?
Ydy hi'n bwysig eu defnyddio nhw?
Dych chi'n defnyddio teitlau, e.e. Mr a Mrs, wrth siarad â rhai pobl?

Geiriau pwysig i fi

× .... × ....
× .... × ....

Rhestr wirio
Dw i'n gallu...

defnyddio'r amodol yn gywir.	
siarad am brofiadau personol, a phethau sy'n gwneud i ni deimlo'n lletchwith.	

Uned 5 – Celf

Nod yr uned hon yw...
- Adolygu cymal enwol 'bod' (fy mod i, dy fod ti, ei fod e, ei bod hi, ac ati)
- Siarad am gelf
- Mynegi barn am bethau, pobl a digwyddiadau
- Dysgu geirfa ac idiomau newydd

Geirfa

delw teiliwr	*tailor's dummy*
gwinllan(noedd)	*vineyard(s)*

diafol	*devil*
gwerth(oedd)	*value(s)*
testun(au) trafod	*subject(s) of discussion*
traddodiad(au)	*tradition(s)*

awgrymu	*to suggest*
cyfaddef	*to admit*
tynnu sylw (at)	*to draw attention (to)*

anghyffredin	*uncommon*
cyffredin	*common*
di-nod	*insignificant*

heblaw am	*apart from*
y gwir amdani yw...	*the truth is...*
yn fwriadol	*deliberately*

Geiriau pwysig i fi

× .... × ....
× .... × ....

Darllen

Dych chi'n gwybod ystyr y geiriau sy mewn **print trwm** yma? Allwch chi feddwl am frawddegau eraill sy'n cynnwys y geiriau hyn?

1. Mae mynd o ddrws i ddrws yn canu ar ddydd Calan yn hen **draddodiad** yng Nghymru.
2. Mae sioeau talent yn **boblogaidd** iawn ar y teledu'r dyddiau yma.
3. Mae perthynas Wil a Siân wedi bod yn **destun trafod** mawr yn y pentre.
4. Anfonais i ebost i'r cyngor er mwyn **tynnu sylw** at y broblem.
5. Mae pawb yn y dosbarth yn hoffi dawnsio **heblaw am** Dafydd.
6. Roedd rhaid i fi **gyfaddef** fy mod i wedi twyllo!

Salem

Capel bach **di-nod** yng Nghefn Cymerau ger Harlech yw capel Salem. Ond mae capel Salem yn adnabyddus iawn, diolch i lun enwog Sydney Curnow Vosper o'r hen wraig, Siân Owen, Ty'n-y-Fawnog, yn y capel. Cafodd y llun *Salem* ei beintio yn 1908 ac i lawer o bobl, mae'n symbol o **draddodiadau** a **gwerthoedd** Cymreig. Roedd copi o *Salem* mewn llawer o gartrefi yng Nghymru yn hanner cyntaf yr ugeinfed ganrif, pan oedd gweld lluniau mewn tai **cyffredin** yn rhywbeth **anghyffredin** iawn. Cwmni Lever Brothers wnaeth y llun yn boblogaidd. Roedd tocynnau yn cael eu rhoi gyda phob pecyn o *Sunlight Soap*. Ar ôl casglu digon o docynnau, roedd pobl yn gallu cael print lliw o *Salem*.

Mae'r llun wedi bod yn **destun trafod** mawr hefyd – mae rhai pobl yn credu bod wyneb **y diafol** yn siôl fawr Siân Owen. A gan fod y cloc ar y wal yn dangos ei bod hi bron yn ddeg o'r gloch, mae Siân ychydig yn hwyr yn cyrraedd y capel. Mae hi'n cerdded i'w sedd yn ystod yr amser tawel cyn dechrau'r gwasanaeth. Mae rhai wedi **awgrymu** ei bod hi'n gwneud hynny'n **fwriadol** er mwyn **tynnu sylw** ati hi ei hun a'i dillad crand.

Ond beth yw'r gwir? I ddechrau, nid gwasanaeth go iawn yng nghapel Salem sydd yn y llun. Roedd Vosper wedi gweld y capel tra oedd e ar ei wyliau yn yr ardal a threfnodd fod nifer o bobl leol yn dod i eistedd yno er mwyn iddo gael peintio'r llun. A dweud y gwir, dim ond un ohonyn nhw oedd yn aelod yng nghapel Salem, sef Robert Williams, sy'n eistedd o dan y cloc. Talodd Vosper chwe cheiniog yr awr i bawb sydd yn y llun **heblaw am** 'Leusa Jones' sydd y tu ôl i Siân Owen. Doedd dim rhaid talu 'Leusa' gan mai **delw teiliwr** oedd hi! A beth am y siôl enwog? Wel, nid Siân Owen oedd piau hi ac roedd dilledyn mor lliwgar a moethus yn anghyffredin iawn yn yr ardal. Wedi cael ei benthyg gan wraig y ficer yn Harlech roedd y siôl. O ran yr hetiau du tal, **y gwir amdani yw** mai un het oedd ganddyn nhw a bod honno wedi cael ei phasio o un wraig i'r llall er mwyn i Vosper eu peintio.

Does neb yn siŵr beth oedd neges yr artist. **Chyfaddefodd** Vosper erioed ei fod e wedi peintio'r diafol yn y siôl yn fwriadol.

Trafodwch rôl y bobl neu'r lleoedd canlynol yn stori *Salem*:

1. Sydney Curnow Vosper
2. Cefn Cymerau
3. Y Brodyr Lever
4. Siân Owen
5. Robert Williams
6. Gwraig Ficer Harlech
7. 'Leusa Jones'

Ymarfer

1. Gweloch chi'r gair **di-nod** yn y darn darllen uchod. Mae rhoi **di-** ar ddechrau gair yn golygu **heb**. Trafodwch **dri** gair arall sy'n dechrau gyda **di-:**
   - **a.** di-
   - **b.** di-
   - **c.** di-

2. Mae **an-** hefyd yn creu ystyr negyddol. Gweloch chi hyn (gyda threiglad) yn y geiriau croes **cyffredin** ac **anghyffredin** uchod. Beth yw'r geiriau croes i'r canlynol?
   - **a.** cywir
   - **b.** caredig
   - **c.** cwrtais
   - **ch.** cofio

Siaradwch

Beth dych chi'n ei weld yn llun *Salem*?

Oes copi gyda chi, neu oedd copi yn eich teulu chi?

Oes lluniau gyda chi ar y waliau gartref?

Dych chi'n casglu ac yn cadw pob math o bethau, neu ydy hi'n well gyda chi gadw'r tŷ'n syml ac yn daclus?

Oes llun neu addurn diddorol yn eich tŷ chi? Dewch ag e i'r dosbarth i siarad amdano.

Adolygu cymal enwol 'bod'
Help llaw

Mae **bod** yn cael ei ddefnyddio ar ddechrau cymal heb bwyslais (*a non-emphatic clause*) yn yr amser **presennol** a'r **amherffaith:**

1. Presennol:

Dw i'n credu ~~**Dw** i'n deall~~.
fy mod i'n deall.

Dw i'n meddwl ~~**Mae e**'n ddiddorol iawn~~.
ei fod e'n ddiddorol iawn.

2. Amherffaith

Dwedais i ~~**Ro'n i** ar y trên~~.
fy mod i ar y trên.

Roedd e'n credu ~~**Roedd hi**'n garedig iawn~~.
ei **bod hi**'n garedig iawn.

Yn yr amser **perffaith** a'r **gorberffaith**, 'dyn ni'n defnyddio **bod wedi:**

3. Perffaith

Dwedais i ~~**Dw i wedi** bwyta~~.
fy mod i wedi bwyta.

Dw i'n siŵr ~~**Maen nhw wedi** cael hwyl~~.
eu bod nhw wedi cael hwyl.

4. Gorberffaith

Dwedais i ~~**Ro'n i wedi** golchi fy nwylo~~.
fy mod i wedi golchi fy nwylo.

Ro'n i'n gwybod ~~**Roedd e wedi** bod yn llefain~~.
ei fod e wedi bod yn llefain.

Cofiwch:	Ar lafar yn aml, byddwch chi'n clywed:
fy mod i	**bo' fi**
dy fod ti	**bo' ti**
ei fod e	**bo' fe**
ei bod hi	**bo' hi**
ein bod ni	**bo' ni**
eich bod chi	**bo' chi**
eu bod nhw	**bo' nhw**

Ymarfer

Cysylltwch y ddau gymal i greu brawddeg gyda chymal enwol **bod**:

e.e. Dwedodd Alun   Mae e'n artist gwych. **Dwedodd Alun ei fod e'n artist gwych.**

1. Dwedodd y tiwtor   Dw i'n barod i sefyll yr arholiad.

   ....

2. Wrth gwrs   Maen nhw yn y stiwdio.

   ....

3. Gobeithio   Rwyt ti'n dweud y gwir.

   ....

4. Ro'n i'n gwybod   Roedd hi'n dweud celwydd.

   ....

5. Falle   Mae hi wedi anghofio'r paent.

   ....

6. Dw i'n credu   'Dyn ni yn yr oriel iawn.

   ....

7. Doedd hi ddim yn gwybod   Mae e'n codi pwysau.

   ....

8. Ro'n i'n siŵr   Ro'n i wedi cloi'r drws.

   ....

Roedd **hi** yn y swyddfa tan naw o'r gloch. .... Dw i'n credu ei bod hi'n gweithio'n rhy galed.

Aeth **e** i Amsterdam ar ei wyliau. .... Dwedodd Siân ei fod e'n hoffi blodau tiwlip.

Mae'n ddiwrnod mawr i **fi** ddydd Sadwrn ..... Do'n i ddim yn gwybod dy fod ti'n
- ffeinal y cwpan. chwarae pêl-droed.

Maen **nhw**'n hwyr ofnadwy. .... Falle eu bod nhw wedi mynd ar goll.

Beth wyt ti'n feddwl o'r tŷ bwyta newydd 'na yn y dre? ....

....

Welaist ti'r boi 'na o'r Rhondda ar *Britain's Got Talent*? ....

....

Maen nhw'n gwneud llawer o waith ar y tŷ. ....

....

Ydw i'n nabod Huw Davies? ....

....

Gwylio a gwrando
Celf gyhoeddus

Nodwch bedwar peth mae pobl Caerfyrddin a Chaernarfon yn eu hoffi am y gelf yn eu trefi nhw, a dau beth 'dyn nhw ddim yn eu hoffi:

<table>
<tr><th>✔</th><th>✗</th></tr>
<tr><td>1.</td><td rowspan="2">1.</td></tr>
<tr><td>2.</td></tr>
<tr><td>3.</td><td rowspan="2">2.</td></tr>
<tr><td>4.</td></tr>
</table>

Beth o'ch chi'n feddwl o'r darnau celf ar y fideo?
Pa un ro'ch chi'n ei hoffi fwya a pha un ro'ch chi ei hoffi leia?
Oes cerfluniau neu ddarnau celf amlwg yn eich ardal chi?
Beth yw eich barn chi amdanyn nhw?
Ddylen ni wario arian cyhoeddus ar waith celf cyhoeddus?

Dych chi nawr yn gallu darllen y llyfr *Trwy'r Ffenestri* (Atebol). Dyma'r clawr a'r paragraff cynta. Ewch i'ch siop Gymraeg leol neu www.gwales.com.

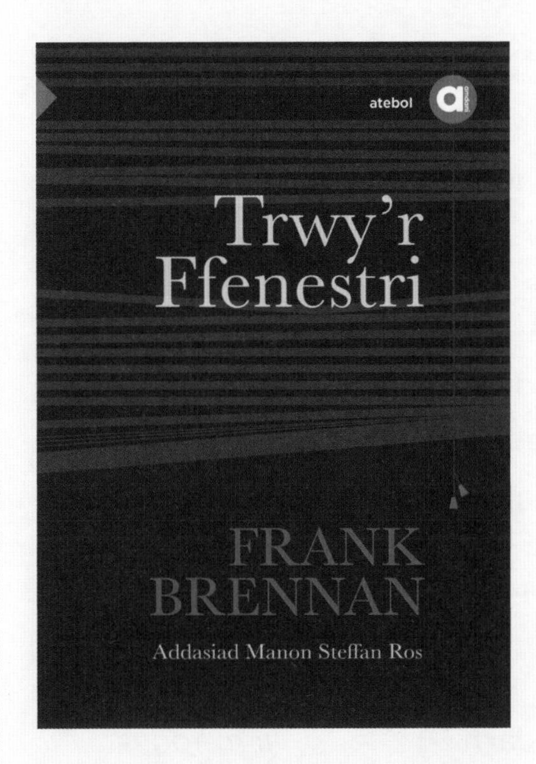

'Anhygoel! Hollol, hollol anhygoel!'

Doedd Daniel Rowlands ddim yn defnyddio geiriau fel yna'n aml wrth ddisgrifio gwin. Arhosai'r dyn arall yn yr ystafell i weld oedd o'n hoffi'r gwin ai peidio. Roedd ei ddyfodol yn dibynnu ar farn Daniel Rowlands – os oedd o'n ei hoffi, basai'n cael ei brynu gan un o'r archfarchnadoedd mwyaf. Basai'n cael ei werthu ym mhob man. Edrychai perchennog y winllan arno'n nerfus. Dim ond gwinllan fach oedd ganddo – un o'r lleiaf yn Bordeaux, Ffrainc. Tasai o'n gwerthu'r gwin, basai ei fusnes, oedd wedi bod yn ei deulu ers dros ddau gan mlynedd, yn cael ei achub.

Rhestr wirio
Dw i'n gallu...

defnyddio cymal enwol 'bod' yn gywir.	
siarad am gelf a phethau sydd yn y tŷ.	
mynegi barn a defnyddio geirfa ac idiomau newydd.	

Uned 6 – Y Môr

Nod yr uned hon yw...

- Adolygu atebion, cytuno ac anghytuno
- Siarad am y môr a glan y môr
- Dysgu geirfa ac idiomau newydd

Geirfa

chwedl(au)	*tale(s)*
gwledd(oedd)	*feast(s)*
llifddor(au)	*floodgate(s)*
lloches(au)	*refuge(s), shelter*
tôn (tonau)	*tune(s)*
trychineb(au)	*disaster(s)*

diferyn (diferion)	*drop(s)*
esgeulustod	*negligence*
gweddill(ion)	*residue(s), remains*
llanw(au)	*tide(s)*
llongddrylliad(au)	*shipwreck(s)*
medd	*mead*
morglawdd (morgloddiau)	*barrage(s), sea wall(s)*
trai	*ebb*

boddi	*to drown*
cyffio	*to stiffen*
cysgodi (rhag)	*to shelter (from)*
chwalu	*to wreck*
hollti	*to split*
tincial	*to tinkle, to jingle*

cadarn	*firm, robust*
esgeulus	*negligent*
ofer	*futile*

dod o hyd i	*to find*
i'r lan	*to the shore*
pen ei thaith / daith	*end of her / his / its journey*
Pwy a ŵyr?	*Who knows?*
yn ddiarwybod i	*unbeknown to*

Adolygu atebion ac ymatebion

Gyda'ch partner, dewiswch yr atebion cywir neu'r ffordd gywir o gytuno ar gyfer pob brawddeg. Wedyn, dywedwch y brawddegau fel deialog, heb edrych ar yr atebion.

Wyt ti wedi bod ar draeth Llansteffan erioed?	Oedd.
Yn sir Gaerfyrddin mae e.	Hoffwn.
Ro'n ni yno dydd Sadwrn. Roedd hi'n wyntog dydd Sadwrn, on'd oedd hi?	Naddo.
Ond chawson ni ddim glaw, diolch byth.	Ydy, dw i wedi clywed.
Mae'r tywod yn gallu bod yn fwdlyd iawn yno.	Ydyn.
Roedd y ci'n fochaidd. Aeth e i nofio yn y môr. Mae cŵn yn dwlu ar y môr.	Oedd.
Aethon ni i gael sglodion wedyn. Roedd angen rhywbeth i'n twymo ni.	Ie.
Hoffet ti ddod gyda ni'r tro nesa?	Nac ydw.

Help llaw – Atebion ac ymatebion

Mae ateb yn Gymraeg yn gallu bod yn anodd! Mae angen **gwrando am y ferf** yn y cwestiwn, e.e.

Ydw i'n dod gyda chi? — Wyt.
Oes lle i'r plant ddod hefyd? — Oes.
Hoffet ti alw yn y siop ar y ffordd? — Hoffwn.

Weithiau, wrth gytuno neu anghytuno â gosodiad, mae'n hawdd drysu wrth ddefnyddio **ydy** ac **oes**.

Ydy (*Yes, it is*)	**Oes (*Yes, there is/are*)**
Mae'r llong ar y môr.	Mae llong ar y môr.
Mae Gareth ar y traeth.	Mae plant ar y traeth.
Mae Llangrannog yn hyfryd.	Mae llawer o wylanod o gwmpas.

Dril – Cytunwch!

Mae hi'n braf heddiw.
Mae'r tywydd yn gwella.
Mae tywydd da ar y ffordd.
Mae carnifal y dre yfory.
Mae stondin gyda'r ysgol.
Mae'n hysbyseb dda i'r ysgol.
Mae llawer o bobl yno fel arfer.
Mae'n boblogaidd iawn.

Help llaw

Dim ond un ffordd o ateb sy yn y **gorffennol cryno**: **Do/Naddo**

Enillais i?	**Do**.	Glywodd e'r sŵn?	**Naddo**.

'Dyn ni'n ateb yn syml gydag **ie** neu **nage** pan fydd pwyslais (*emphasis*) neu ddim berf o gwbl, e.e.

Môr Iwerddon yw hwn?	Ie.	Fan hyn 'dyn ni'n dal y cwch?	Nage.
Hufen iâ?	Ie.		
Llaeth?	Ie.		

Ymarfer

Gyda'ch partner, llenwch y bylchau (✔ cadarnhaol, ✗ negyddol).

Gest ti dy basbort ddoe?	.........✔	Ddoe cest ti dy basbort?	.........✔
Gest ti'r pasbort yn Swyddfa'r Post?	.........✔	Yn Swyddfa'r Post cest ti'r pasbort?	.........✔
Brynaist ti'r tocynnau bore 'ma?	.........✗	Bore 'ma prynaist ti'r tocynnau?	.........✗
Dalaist ti gyda'r cerdyn credyd?	.........✗	Gyda'r cerdyn credyd talaist ti?	.........✗
Baciaist ti'r ces?	.........✔	Ti baciodd y ces?	.........✔
Helpaist ti'r plant i bacio?	.........✔	Ti helpodd y plant i bacio?	.........✔
Roddaist ti allwedd y tŷ i Rhys drws nesa?	.........✗	I Rhys drws nesa rhoddaist ti allwedd y tŷ?	.........✗

Siaradwch

Nodwch o leiaf 10 gair ar y thema **Y Môr** yn y blwch isod:

Darllen 1

Llongddrylliad y *Royal Charter*

llongddrylliad **trychineb** **cysgodi** **angor** **hollti**
gweddillion

Ar 25 Hydref 1859, digwyddodd **trychineb** ger Pentref Moelfre, Ynys Môn. Roedd llong y *Royal Charter* yn teithio'n ôl o Melbourne, Awstralia. Roedd hi bron â chyrraedd **pen ei thaith**, sef Lerpwl.

Aeth y llong trwy stormydd gwyllt ar Fôr Iwerddon, ac yn anffodus, roedd tywydd gwaeth i ddod. Penderfynodd y capten aros ym Mae Moelfre i **gysgodi** rhag y storm. Taflodd yr **angor** i lawr, ond torrodd yr **angor** dan y straen. Cafodd 32 o deithwyr eu taflu yn erbyn y creigiau. Yna, daeth tonnau anferth a **hollti**'r llong yn ddwy. Cafodd **gweddill y teithwyr** a'r criw eu taflu i'r môr.

Dim ond 21 teithiwr ac 18 aelod o'r criw a ddihangodd. Cafodd o leiaf 452 o bobl eu lladd. Roedd llawer o'r teithwyr wedi bod yn chwilio am aur yn Awstralia, ac wedi ceisio nofio **i'r lan** a'u pocedi'n llawn aur. Roedd gwerth £322,000 o aur ar y llong, ac roedd llawer o bethau gwerthfawr gan y teithwyr dosbarth cyntaf.

Am wythnosau ar ôl y **llongddrylliad**, roedd pobl Moelfre yn **dod o hyd** i gyrff ar y traethau a daeth rhai pobl o hyd i aur. Daeth pobl o bell ac agos i Foelfre i weld safle'r drychineb, gan gynnwys Charles Dickens, y nofelydd enwog.

Yn 2011, aeth pobl o dan y môr i ffilmio **gweddillion** y *Royal Charter*, ac mae pobl wedi dod o hyd i aur yn agos i safle'r llongddrylliad. Mae rhai pobl yn credu bod gwerth £1 filiwn o aur ar waelod y môr – **pwy a ŵyr?**

i. Cytunwch neu anghytunwch â'r brawddegau hyn. Mae'r un gyntaf wedi'i gwneud i chi.

Digwyddodd trychineb ger pentref Moelfre, Ynys Môn ar 25 Hydref 1859.	*Do.*
Roedd y llong bron â chyrraedd pen ei thaith.	....
Y *Royal Charter* oedd enw'r llong.	....
Roedd y tywydd yn braf ar ddiwrnod y llongddrylliad.	....
Ro'n nhw wedi hwylio o Melbourne.	....
Dim ond 21 teithiwr a ddihangodd.	....
Daeth pobl o hyd i aur ar y traethau.	....
Arthur Conan Doyle oedd enw'r nofelydd enwog a ddaeth i Foelfre.	....
Mae ffilm ar gael o weddillion y llong o dan y môr.	....

ii. Beth yw...?

i'r lan ....

dod o hyd i ....

Pwy a ŵyr? ....

pen ei thaith ....

iii. Allwch chi feddwl am **dri** gair neu ymadrodd arall sy'n cynnwys **pen**?

....

....

....

iv. Meddyliwch am yr ymadroddion: **gweddill y teithwyr, safle'r drychineb** a **safle'r llongddrylliad**. Cyfieithwch y rhain i'r Gymraeg:

the site of the accident ....

the rest of the sand ....

the night of the party ....

the captain of the ship ....

the people of the valley ....

Siaradwch

Pryd teithioch chi ar y môr ddiwetha?
Dych chi wedi bod ar fordaith fawr?
Dych chi'n mwynhau bod ar y môr, neu ydy'r môr yn codi ofn arnoch chi?
Beth yw'ch hoff ddull o deithio?

Gwrando
Stori Cantre'r Gwaelod

Geirfa:

morglawdd	**llanw a thrai**	**addas**	
diog	**esgeulus**	**gwledd**	**chwalu**

Gwrandewch am yr eirfa uchod.

i. Ble roedd Cantre'r Gwaelod? ....

Pwy oedd Gwyddno Garan Hir? ....

Beth oedd y broblem gyda'r tir? ....

Beth oedd gwaith Seithenyn? ....

Oedd e'n berson addas i wneud y gwaith? ....

Beth oedd yn digwydd yng Nghastell y Brenin? ....

Beth gallwch chi ei glywed ar noson dawel? ....

ii. Gyda'ch partner, cysylltwch y gair â'r diffiniad cywir:

blasus .... offerynnau sy'n gwneud sŵn tincial

diog .... ddim yn ofalus

addas .... rhywbeth 'dyn ni ddim yn ei weld

gwledd .... ddim eisiau gweithio llawer

esgeulus .... dŵr sy'n symud lan a lawr

tonnau .... yn iawn ac yn gywir

o'r golwg .... parti mawr

clychau .... rhywbeth sy'n hyfryd i'w fwyta

iii. Edrychwch ar y llun yma o storm ym Mae Ceredigion.

Pa dywydd eithafol dych chi'n ei gofio?
Dych chi'n poeni am dywydd eithafol fel hyn?
Dych chi'n poeni bod lefel y môr yn codi?

Llun: Storm Aberystwyth, Keith Morris

Darllen 2
Clychau Cantre'r Gwaelod

Geirfa:

tonnau **tlos** **ofer** **esgeulustod**

Clychau Cantre'r Gwaelod

O dan y môr a'i **donnau**
Mae llawer dinas **dlos**
Fu'n gwrando ar y clychau
Yn canu gyda'r nos;
Trwy **ofer esgeulustod**
Y gwyliwr ar y tŵr
Aeth clychau Cantre'r Gwaelod
O'r golwg dan y dŵr.

J.J. Williams

Gwylio a gwrando

Byddwch chi'n gwylio darn o'r rhaglen deledu *Codi Pac* (Boom Cymru, 2017), lle mae Geraint Hardy yn mynd allan ar gwch i weld bywyd gwyllt y môr yn ardal Aberteifi.

Bydd Geraint yn mynd i bedwar lle, ond ym mha drefn? Ysgrifennwch rif ar bwys yr enwau llefydd:

Cardigan Island ☐ Cemaes ☐ Gwbert ☐ Mwnt ☐

Nodwch ddau reswm pam mwynheuodd Geraint ei hunan yn y cwch:

1. ....

2. ....

Gyda'ch partner, trafodwch yr ymadroddion isod. Allwch chi esbonio eu hystyr (yn Gymraeg)?

hwyl a sbri ....

yn ôl y sôn ....

Maen nhw'n dangos eu hun ....

Rhestr wirio

Dw i'n gallu...

defnyddio'r geiriau cywir i ateb, cytuno ac anghytuno'n hyderus.	
siarad am y môr a glan y môr.	

Geiriau pwysig i fi

× .... × ....

× .... × ....

Uned 7 – Arferion

Nod yr uned hon yw...

- Defnyddio cynffoneiriau (on'd yw hi? on'd do fe? on'd oes e? ac ati)
- Siarad am arferion
- Dysgu geirfa ac idiomau newydd

Geirfa

adduned(au)	*resolution(s)*

lleiafrif(oedd)	*minority (minorities)*
pechod(au)	*sin(s)*

brolio	*to boast*
clebran	*to chatter*
lapswchan	*to kiss*
llygru	*to contaminate, to pollute*
taenu (menyn, ac ati)	*to spread*

allweddol	*key, critical*
bwriadol	*deliberate*

byth a beunydd	*time and again*
dod ar draws	*to come across*
tân ar groen	*a thorn in one's flesh*
... yn fy hala i'n benwan	*... drives me up the wall*

Geiriau pwysig i fi

×

×

×

×

Adolygu atebion a chwestiynau

Edrychwch ar yr atebion a chwblhewch y cwestiynau isod.

1.	.... digon o le i bawb yn y neuadd?	Oes.
2.	.... hi'n gwybod ble mae'r swyddfa?	Ydy.
3.	.... ti i'r parti neithiwr?	Do.
4.	.... y morglawdd yn cynhyrchu trydan?	Bydd.
5.	.... ti wedi clywed canlyniad yr etholiad?	Ydw.
6.	.... llysenwau da gyda'ch athrawon chi yn yr ysgol?	Oedd.
7.	.... i dynnu sylw at y camgymeriad?	Dylet.
8.	.... ni rywfaint o amser rhydd yn ystod y dydd?	Cewch.
9.	.... awgrymodd hyn?	Ie.
10.	.... 'n well 'da ti eistedd yn y blaen?	Basai.

Yna, trowch bob cwestiwn yn frawddeg gadarnhaol.

e.e. Mae digon o le i bawb yn y neuadd.

Dis siarad

Mewn grwpiau, taflwch ddis a meddyliwch am gwestiwn addas a fydd yn rhoi'r ateb sy'n cyfateb i'r rhif ar y dis. Gofynnwch y cwestiwn i'r rhai sydd yn eich grŵp a thrafodwch.

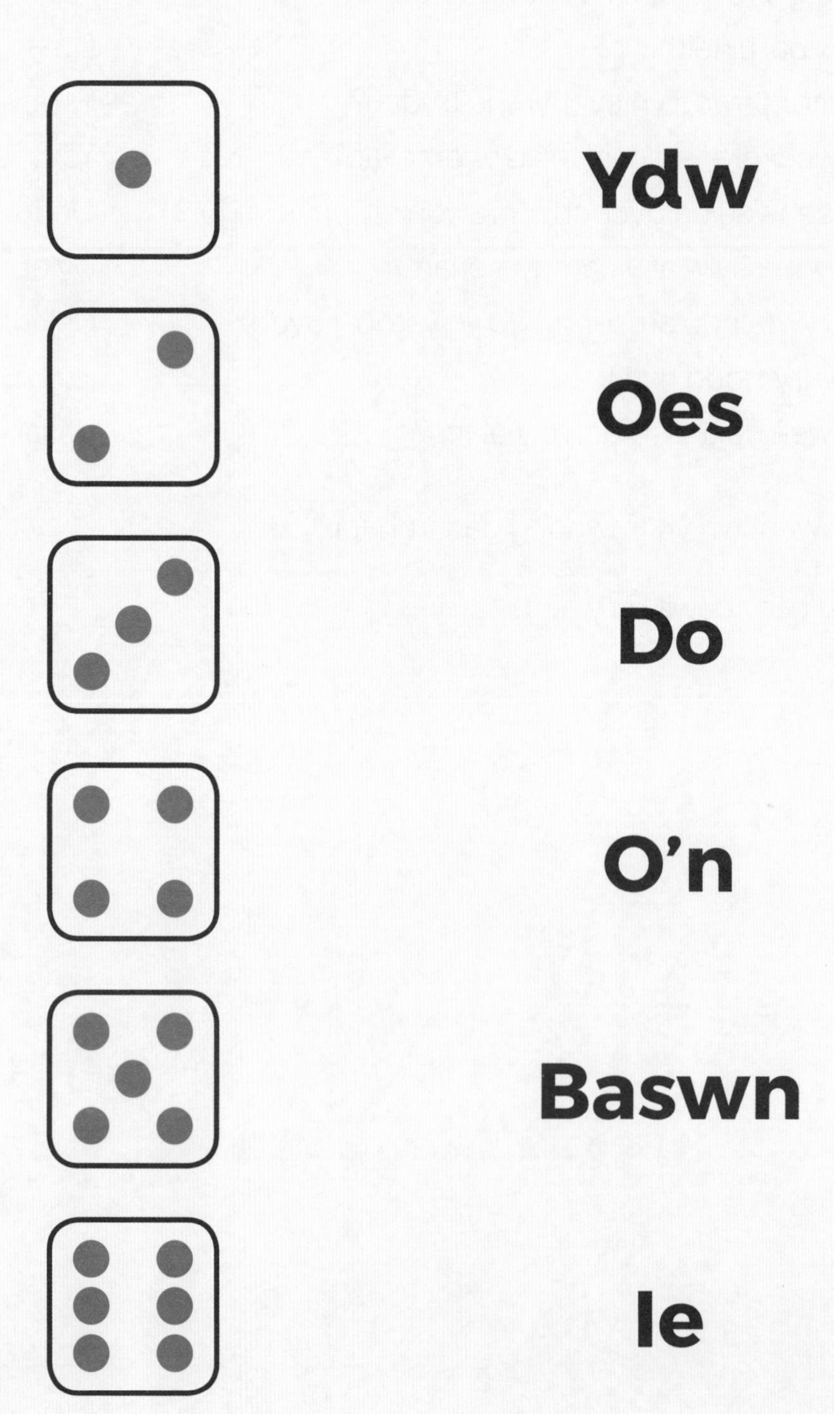

Ydw

Oes

Do

O'n

Baswn

Ie

Darllen

Arferion gwael

Mae gyda ni i gyd ein **harferion** bach rhyfedd, on'd oes e? Ac mae rhai o'n harferion yn ein bywydau bob dydd yn **dân ar groen** y bobl **o'n cwmpas ni**. Mae rhestr hir gyda fi o bethau y mae aelodau'r teulu yn eu gwneud gartref sy'n **fy hala i'n benwan**.

Gawn ni ddechrau gyda'r plant? Maen nhw **byth a beunydd** yn bwyta neu'n yfed rhywbeth mewn 'stafelloedd gwahanol o gwmpas y tŷ. A bob dydd, dw i'n **dod ar draws** llestri brwnt wedi eu gadael yn y 'stafell fyw, neu ar bwys y cyfrifiadur, yn eu hystafelloedd gwely, neu hyd yn oed yn y 'stafell 'molchi! Dyw hi ddim yn ormod disgwyl iddyn nhw ddod â'u llestri brwnt yn ôl i'r gegin, ydy hi? Peth arall y maen nhw'n ei wneud ydy tynnu eu cotiau a'u hesgidiau wrth ddod i mewn i'r tŷ a'u gadael yng nghanol llawr y gegin. Dw i'n meddwl weithiau eu bod nhw'n **fwriadol** eisiau i mi **faglu** er mwyn gweld dysglaid o lasagne yn hedfan ar draws y gegin, yn enwedig pan fydd bagiau ysgol yn rhan o'r 'cwrs rhwystrau' hefyd!

A beth am y wraig? Ei **phechod** mawr hi ydy defnyddio cyllell i daenu menyn ar dost a defnyddio'r un gyllell i **daenu** jam ar y tost. Wedyn, mae hi'n ei defnyddio hi gydag ail ddarn o dost, on'd yw hi? Canlyniad hyn ydy bod olion menyn yn gymysg yn y pot jam a bod y menyn wedi ei **lygru** â jam a briwsion tost – ych a fi!

A beth am fy arferion gwael i? Beth dw i'n ei wneud sy'n **dân ar groen** aelodau eraill y teulu? Wel, does dim eisiau sôn am y pethau hynny nawr, oes e?

1. Nodwch y cynffoneiriau yn y darn darllen uchod – y *tags* 'dyn ni'n eu hychwanegu at ddiwedd brawddegau weithiau i'w troi nhw'n gwestiynau.

i. ....

ii. ....

iii. ....

iv. ....

2. Mae'r ymadrodd **o'n cwmpas ni** yn y darn. Nodwch sut mae'r ymadrodd hwn yn newid gyda phersonau gwahanol:

i. O gwmpas – fi ....

ii. O gwmpas – ti ....

iii. O gwmpas – fe ....

iv. O gwmpas – hi ....

v. O gwmpas – chi ....

vi. O gwmpas – nhw ....

3. Mae **ar ôl, ar bwys** ac **uwchben** yn arddodiaid eraill sy'n 'rhedeg' mewn ffordd debyg. Beth yw *after us*, *near us* ac *above us* yn Gymraeg?

Siaradwch

Pa arferion gwael dych chi'n eu casáu mewn pobl eraill? Gallwch chi ddefnyddio'r ymadroddion canlynol i ddweud eich dweud:

- Dw i ddim yn hoffi pan fydd pobl yn...
- Alla i ddim dioddef pobl yn...
- Mae pobl sy'n .... yn dân ar fy nghroen i.
- Mae'n fy hala i'n benwan pan fydd rhywun yn...
- Does dim byd gwaeth na rhywun sy'n...
- Mae .... yn mynd ar fy nerfau i.
- Does dim ots 'da fi pan fydd pobl yn...

Edrychwch drwy'r rhestr isod o arferion a rhowch sgôr o 0 i 5 i bob un (0 = poeni dim arna i, 5 = yn dân ar fy nghroen i) ac wedyn trafodwch eich ymatebion.

1. .... Cnoi bwyd â'u ceg ar agor
2. .... Siarad yn ddi-baid wrth edrych ar y teledu
3. .... Ailadrodd eu hunain
4. .... Cyrraedd yn hwyr
5. .... Torri ar draws
6. .... Cusanu/**lapswchan** yn gyhoeddus
7. .... Ddim yn ffonio'n ôl
8. .... Ffidlan ar eu ffôn symudol byth a beunydd
9. .... Dweud rhywbeth fel "Dw i ar y trên" wrth siarad ar ffôn symudol
10. .... Gyrru'n rhy gyflym
11. .... Siarad wrth fwyta
12. .... Peidio diffodd eu ffôn yn y theatr/sinema/mewn cyfarfod
13. .... Siarad ag anifeiliaid fel tasen nhw'n bobl

14. .... Pigo eu trwyn yn y car
15. .... Siarad gormod
16. .... Dangos eu hunain
17. .... Sefyll wrth ddrws siop yn **clebran** a rhwystro pawb arall rhag mynd heibio
18. .... Ysmygu
19. .... Brolio'n ddi-baid
20. .... Chwarae cerddoriaeth yn uchel

Pa arferion eraill sy'n dân ar eich croen chi?
Dych chi'n gwneud rhai o'r pethau hyn eich hun?

Adolygu cynffoneiriau/tagiau

Dril

Mae hi'n braf heddiw, on'd yw hi?
Mae hi'n oer heddiw, ...
Mae hi'n gweithio'n galed, ...
Mae hi'n gyflym, ...
Mae e'n gyflym, ...
Mae e'n gwybod, ...
Mae'r llyfr yn dda, ...
Mae'r glaw yn dod i mewn, ...
Mae glaw ar y ffordd, ...
Mae bwyd ar ôl y cyfarfod, ...
Mae cyfres newydd yn dechrau heno, ...
Mae'r rhaglen yn dda, ...

Dyw hi ddim yn mynd,	ydy hi?
Dyw hi ddim yn bwrw,	....
Dyw hi ddim yn trïo,	....
Dyw hi ddim yn gwybod,	....
Dyw e ddim yn gwybod,	....
Dyw e ddim yn deall,	....
Dyw'r bwyd ddim yn dda,	....
Dyw'r dŵr ddim yn boeth,	....
Does dim dŵr poeth,	....
Does dim ots,	....
Does dim amser,	....
Dyw hwn ddim yn amser da,	....

Help llaw

Cynffoneiriau yw'r geiriau ar ffurf cwestiwn mae pobl yn eu hychwanegu at ddiwedd brawddeg (fel cynffon!) yn aml wrth siarad. Canolbwyntiwch ar ddysgu rhai yn yr amser presennol am y tro. Pan fydd brawddeg gadarnhaol (bositif), mae'r cynffonair yn negyddol. Pan fydd brawddeg negyddol, mae'r cynffonair yn gwestiwn cadarnhaol (*positive*):

Mae hi'n braf, **on'd yw hi?**
Maen nhw'n gwybod, **on'd ydyn nhw?**
Mae tywydd braf ar y ffordd, **on'd oes e?**

Dyw hi ddim yn dda, **ydy hi?**
'Dyn nhw ddim yn gwybod, **ydyn nhw?**
Does dim bwyd yn y parti, **oes e?**

Dyma rai enghreifftiau eraill:

Est ti i'r gwely'n hwyr neithiwr, **on'd do?**
Roedd y gêm yn dda, **on'd oedd hi?**
Bydd hi'n bwrw glaw fory, **on' bydd hi?**
Basai fe'n gallu gwneud y gwaith, **on' basai fe?**

Ddwedaist ti ddim byd, **do fe?**
Doedd e ddim yn dda, **oedd e?**
Fydd hi ddim yn hwyr, **fydd hi?**
Fasai fe ddim yn helpu, **fasai fe?**

Byddwch yn ofalus gyda'r cynffonair ar ôl pwyslais:

Siôn wyt ti, **on'd ife?**

Nid Siôn wyt ti, **ife?**

Byddwch chi hefyd yn clywed ffurfiau eraill, e.e. yn y de-orllewin byddwch chi'n clywed **nag** yn lle **ond** – Mae hi'n braf, nag yw hi? Ac yn y gogledd, byddwch chi'n clywed **yn** – Aeth hi i Ffrainc, yn do?

Ymarfer

Ychwanegwch gynffoneiriau at y brawddegau hyn:

1. Gwelaist ti'r gêm ar y teledu, ...?
2. Roedd hi'n gêm dda, ...?
3. Dafydd Huws oedd seren y gêm, ...?
4. Mae car mawr 'da ti, ...?
5. Mae'r car 'da ti heddiw, ...?
6. 'Sdim dant tost gyda hi eto, ...?
7. Dylai hi fynd at y deintydd, ...?
8. Byddi di'n ei gweld hi heno, ...?
9. 'Dyn nhw ddim yn gweithio heddiw, ...?
10. Basai fe'n grac iawn 'sai fe'n gwybod, ...?

Gwylio a gwrando

Byddwch chi'n gwylio darn o raglen *Heno* lle bydd Alun a Mari ar y soffa yn y stiwdio yn cyflwyno Yvonne, sy'n siarad ag Anna Reich yn ei champfa yng Nghaerdydd.

1. Mae'r geiriau/ymadroddion ar y chwith yn dod o'r clip. Cysylltwch bob un â'r ymadrodd ar y dde sy'n esbonio'r ystyr orau.

yn orlawn	dweud "da iawn" wrth rywun
gwneud **adduned**	dangos eich bod yn gwerthfawrogi ymdrech rhywun
ar ôl yr holl fwyta	ddylech chi ddim disgwyl i bethau wella'n syth
canmol	gormod o bobl yno
peidio bod yn rhy lym	dangos eich bod yn barod i ddechrau rhywbeth
rhaid bod yn amyneddgar	penderfynu newid rhywbeth yn eich bywyd
chwarae teg iddyn nhw	wedi cael llawer iawn o fwyd
yn barod amdani	peidio bod yn rhy galed

2. Rhowch ✔ yn y blwch priodol bob tro y byddwch chi'n clywed un o'r siaradwyr yn dweud y geiriau neu'r ymadroddion sydd yn y tabl isod.

	Mari	Alun	Yvonne	Anna
gym(s)/campfa				
cadw'n heini				
adduned(au)				
allweddol				
bod yn realistig				
ychydig bach mwy				

3. Trafodwch y cwestiynau canlynol – mae'r atebion yn y clip fideo:

a. Pwy sydd mewn **lleiafrif** *(minority)* bach iawn, a pham?

....

b. Ym mha fis mae pobl yn gwneud fwyaf o ymarfer corff – ym mis Rhagfyr, ym mis Ionawr, ym mis Chwefror neu ym mis Mawrth?

....

c. Ym mha un o'r misoedd hyn **ddylai** pobl wneud fwyaf o ymarfer corff?

....

Siaradwch

Dych chi'n gwneud addunedau blwyddyn newydd fel arfer?
Pa fath o addunedau ydyn nhw?
Dych chi'n dda am gadw at eich addunedau?
Dych chi'n cofio unrhyw adduned arbennig o'r gorffennol?
Dych chi'n gwneud unrhyw beth yn rheolaidd i gadw'n heini neu'n iach?
Dych chi wedi rhoi cynnig ar ryw ffordd newydd o gadw'n heini neu wedi meddwl dechrau gwneud hynny?

Rhestr wirio
Dw i'n gallu...

defnyddio cynffoneiriau.	
dysgu geirfa ac idiomau newydd i drafod arferion.	

Uned 8 – Arwyr

Nod yr uned hon yw...
- Adolygu'r goddefol, e.e. cafodd e ei adeiladu
- Siarad am arwyr ddoe a heddiw
- Dysgu geirfa ac idiomau newydd

Geirfa

brwydr(au)	*battle(s)*
derwen (deri)	*oak tree(s)*
dyled(ion)	*debt(s)*
hawl(iau)	*right(s), entitlement(s)*
treth(i)	*tax(es)*
ymgyrch(oedd)	*campaign(s)*

anafu	*to injure*
anrhydeddu	*to honour*
arestio	*to arrest*
cosbi	*to punish*
dadorchuddio	*to uncover, to unveil*
hawlio	*to claim, to demand*
penodi	*to appoint*
sefydlu	*to establish, to set up*
trywanu	*to stab*

asiant(au)	*agent(s)*
crib(au)	*comb(s)*
cynorthwyydd (cynorthwywyr)	*assistant(s)*
gelyn(ion)	*enemy (enemies)*
statws	*status(es)*
synnwyr (synhwyrau)	*sense(s)*
ymgyrchydd (ymgyrchwyr)	*campaigner(s)*
ynad(on)	*magistrate(s)*

amlwg	*clear, obvious*
cudd	*hidden, secret, undercover*
cyfartal	*equal*
dylanwadol	*influential*

mewn gwirionedd	*in truth*
mynd â'r maen i'r wal	*to follow something through to a successful conclusion*

Adolygu cynffoneiriau

Rhowch y cynffoneiriau cywir yn y ddeialog hon. Yna, darllenwch y ddeialog gyda'ch partner.

A: Ti wnaeth hyn, ... ?

B: Gwneud beth?

A: Bwyta'r pwdin siocled, ... ! Roedd e i fod i swper heno, ... !

B: Beth sydd mor bwysig am swper heno?

A: Rwyt ti wedi anghofio, ... ? Mae Mam yn dod i gael swper gyda ni, ... ?

B: O. Wel, pam rwyt ti mor siŵr taw fi fwytodd e? Mae dant melys gyda'r peintiwr, ... , ac mae e wedi bod yn gweithio yma drwy'r dydd.

A: Cer i edrych yn y drych... Wyt ti'n gweld? Mae gyda ti saws siocled o gwmpas dy geg i gyd, ... ?

B: Oes. Rwyt ti'n iawn. Fi wnaeth. Rwyt ti wastad yn iawn, ... ?

Siaradwch

Wn i ddim beth yw'ch barn chi, ond weithiau rwy'n teimlo bod rhai geiriau yn cael eu defnyddio'n llawer rhy rwydd. Un gair sy'n cael ei glywed yn gyson yw 'arwr'. Er enghraifft, 'arwr pêl-droed', 'arwr pop', 'arwr y sgrin fach neu fawr' ... ond beth sy'n gwneud arwr mewn gwirionedd?

Ioan Wyn Evans, Rhagair *Dianc i Ryddid* (Gwasg Gomer, 2015)

- Dych chi'n cytuno?
- Pwy yw eich arwyr chi?
- Pa fath o bobl dych chi'n eu hedmygu?
- Pwy sy wedi eich helpu neu wedi dylanwadu arnoch chi?

Y goddefol

Dril

Mae digon o arian gyda fe.	Cafodd e ei dalu ddoe.
Mae e yn swyddfa'r heddlu.	....
Mae e yn y carchar.	....
Mae plastar ar ei goes.	....
Mae'r llythyr heb gyrraedd.	....
Dyw e ddim eisiau mynd i'r ysgol heddiw.	....
Mae llyfr newydd gan Sam Jones.	....
Does dim gwaith gyda fe.	....

Help llaw – Y goddefol

'Dyn ni'n defnyddio'r goddefol *(passive)* i siarad am bethau sy'n cael eu gwneud i ni. Byddwch chi'n clywed y goddefol ar y newyddion, er enghraifft: *Cawson nhw eu hanafu. Cafodd dyn ei ladd yn y ddamwain.*

Cofiwch am y treigladau hyn wrth ddefnyddio'r goddefol:

Rhagenw + treiglad	gweld	cosbi	anafu
fy trwynol	Ces i fy ngweld	Ces i fy nghosbi	Ces i fy anafu
dy meddal	Cest ti dy weld	Cest ti dy gosbi	Cest ti dy anafu
ei (gwr) meddal	Cafodd e ei weld	Cafodd e ei gosbi	Cafodd e ei anafu
ei (ben) llaes + **h** o flaen llafariaid	Cafodd hi ei gweld	Cafodd hi ei chosbi	Cafodd hi ei hanafu
ein dim treiglad ond **h** o flaen llafariaid	Cawson ni ein gweld	Cawson ni ein cosbi	Cawson ni ein hanafu
eich dim treiglad	Cawsoch chi eich gweld	Cawsoch chi eich cosbi	Cawsoch chi eich anafu
eu dim treiglad ond **h** o flaen llafariaid	Cawson nhw eu gweld	Cawson nhw eu cosbi	Cawson nhw eu hanafu

Mae **person** y ferf a'r **rhagenw'n** cytuno:

Ces **i fy** ngeni. Cafodd **e ei** eni. Cafodd **y plant eu** geni.

Mae'r goddefol yn cael ei ddefnyddio mewn amserau eraill hefyd wrth gwrs:
Mae'r tŷ yn cael ei adeiladu nawr. Bydd y gweithwyr yn cael eu talu fory.
Roedd y plant yn cael eu dysgu. Basai'r siop yn cael ei chau.

Cofiwch, rhaid i chi wybod beth yw cenedl yr enw *(gender of the noun)* er mwyn treiglo'n gywir.
Mae'r ardd yn cael ei **th**acluso. (gardd = benywaidd)
Mae'r adeilad yn cael ei **d**acluso. (adeilad = gwrywaidd)

Ymarfer y goddefol

Ysgrifennwch y manylion (*details*) mewn brawddegau llawn.

Enw: John F. Kennedy
Geni: 1917
Magu: Massachusetts ac Efrog Newydd
Lladd: 1963
Claddu: Arlington

Cafodd John F. Kennedy ei eni yn...

Enw: Grace Kelly
Geni: 1929
Magu: Philadelphia
Lladd: 1982
Claddu: Monaco

Enw: Dic Penderyn
Geni: 1808
Magu: Aberafan
Crogi: 1831
Claddu: Aberafan

Enw: Gwenllian ferch Gruffydd
Geni: 1097
Magu: Aberffraw
Lladd: 1136

Byddwch chi'n gwneud pum brawddeg gyda'ch partner yn defnyddio'r goddefol. Nodwch nhw fan hyn.

1. ....

2. ....

3. ....

4. ....

5. ....

Gwylio a gwrando
Eileen Beasley

A. Yn gyntaf, byddwch chi'n gwrando ar adroddiad newyddion am Eileen Beasley.

i. Rhowch gylch o gwmpas y geiriau hyn pan fyddwch chi'n eu clywed nhw:

ymgyrchwyr **statws** **cyfartal** **ymgyrch**

gwrthod **treth** **dyled**

ii. Edrychwch ar y rhifau hyn. Beth yw arwyddocâd (*significance*) y rhifau?

91 ....

1952 ....

12 ....

3 ....

2 ....

1960 ....

iii. Meddyliwch am y geiriau **ymgyrchwyr**, **ymgyrch** ac **ymgyrchu**. Gyda'ch partner, llenwch y bylchau yn y tabl:

ymgyrch	ymgyrchu	ymgyrchwyr
adeilad		
		cystadleuwyr
gwaith		

B. Nawr byddwch chi'n gwylio cyfweliad gydag Eileen a Trefor Beasley.

Geirfa: **synnwyr** **deri** **brwydr**

i. Beth yw lluosog y geiriau hyn?

gŵr .... ffŵl ....

swyddog .... anrheg ....

ii. Pa eiddo gollodd y Beasleys?

....

Siaradwch

- Fasech chi'n protestio am unrhyw beth?
- Dych chi'n derbyn biliau yn Gymraeg?
- Dych chi'n gofyn am unrhyw wasanaeth yn Gymraeg?

Mae'r gân yn y cefndir yn dweud 'Daw, fe ddaw yr awr yn ôl i mi'.
Pa ddigwyddiadau pwysig dych chi'n eu cofio?

Darllen

Arwres – Y Farwnes Tanni Grey-Thompson

Geirfa: anrhydeddu

Gyda'ch partner, dewiswch y geiriau cywir i lenwi'r bylchau yn y darn gan dreiglo os oes angen. Bydd angen defnyddio rhai berfau ddwywaith.

galw **anrhydeddu** **geni** **penodi** **magu** **cyflwyno**

Cafodd Tanni Grey-Thompson ei .... yn 1969. Cafodd ei .... yng Nghaerdydd. Ei henw yw Carys Davina Grey-Thompson ond cafodd ei .... yn Tanni gan ei chwaer. Graddiodd hi o Brifysgol Loughborough yn 1991.

Cafodd hi ei .... â'r anabledd spina bifida, ac mae hi'n defnyddio cadair olwyn. Hi yw un o athletwyr anabl mwyaf llwyddiannus Prydain.

Mae hi wedi derbyn MBE, OBE a DBE gan y Frenhines. Cafodd hi ei .... gan Orsedd y Beirdd yn Eisteddfod Genedlaethol y Bala, 2009.

Enillodd Tanni Grey-Thompson y gystadleuaeth Cariad@iaith ar y teledu yn 2005 ac mae hi bob amser yn barod i gefnogi'r iaith Gymraeg.

Cafodd hi ei .... yn gapten tîm Cymru yng Ngemau'r Gymanwlad, 2006.

Ers iddi hi ymddeol o fyd athletau yn 2007, mae hi wedi ymladd dros hawliau pobl anabl a chwaraeon i ferched, ac wedi helpu llawer o elusennau. Mae hi wedi cael ei .... gan lawer o Brifysgolion. Yn 2010, cafodd hi ei .... i Dŷ'r Arglwyddi. Ei theitl yw 'Y Farwnes Tanni Grey-Thompson o Eaglescliff, Swydd Durham'. Mae hi'n byw yn Swydd Durham gydag Ian Thompson, ei gŵr, a Carys Olivia, eu merch.

Siaradwch

Y Fonesig Tanni Grey Thompson, Celf Stryd yn Shoreditch gan Duncan C.

Pobl ddylanwadol

Meddyliwch am bobl sy wedi bod yn ddylanwadol. Trafodwch a chytunwch ar 5 enw ar gyfer pob categori. Rhaid i chi ddweud pam dych chi wedi dewis y bobl yma.

Cymru	Y Deyrnas Unedig	Y byd

Rhestr wirio

Dw i'n gallu...

defnyddio'r goddefol.	
siarad am fy arwyr i.	

Geiriau pwysig i fi

× .... × ....

× .... × ....

Uned 9 – Trefnu Digwyddiad

Nod yr uned hon yw...

- Adolygu cyffredinol
- Trefnu digwyddiad codi arian
- Dysgu geirfa ac idiomau newydd

Geirfa

cronfa (-feydd)	*fund(s); reservoir(s)*
cynulleidfa darged	*target audience*
ymwybyddiaeth	*awareness*

cyfanswm (cyfansymiau)	*total(s)*
cyfraniad(au)	*contribution(s)*
cyhoeddusrwydd	*publicity*

cyfrannu (at)	*to contribute*
ei siapio hi	*to hasten/get on with it*
pennu	*to set* (e.e. dyddiad)
ymgasglu	*to gather together*

hael	*generous*

oriau mân (y bore)	*the small hours*
y cyfryngau cymdeithasol	*social media*

Geiriau pwysig i fi

× .... × ....

× .... × ....

Adolygu

Ysgrifennwch yr ail hanner:

Bues i yn Nhŷ Bwyta'r Hen Sgubor bythefnos yn ôl...	
Dw i'n mynd i'r Llew Coch bob nos Wener...	
Mae Dafydd yn hoffi mynd i'r Taj Mahal...	
Aeth Mair i'r Mochyn Pinc dydd Sadwrn...	
Sa i wedi bod yn y Rendezvous 'to...	
Aeth Dai ac Alun ma's i Dafarn y Fuwch nos Sadwrn...	
Os nad wyt ti wedi cael te prynhawn yng Nghaffi Penbryn eto...	
Maen nhw'n troi'r hen orsaf dân yn dŷ bwyta moethus...	

Defnyddiwch yr ymadroddion yma i aralleirio'r brawddegau isod:

cael gwared ar
bron â marw
llond llaw
magu hyder
heblaw am
tynnu sylw
testun trafod
o'r golwg
yn ddi-baid
siarad dwli

1. Sefais yno, yn codi fy llaw i ffarwelio wrth i'r bws ddiflannu yn y pellter.

   Sefais yno, yn codi fy llaw i ffarwelio wrth i'r bws fynd .... yn y pellter.

2. Doedd beth roedd hi'n ei ddweud ddim yn gwneud synnwyr o gwbl.

   Roedd hi'n ....

3. Dw i eisiau i chi edrych ar waith arbennig Dafydd Morris yn y ryciau.

   Dw i eisiau .... at waith arbennig Dafydd Morris yn y ryciau.

4. Byddi di'n dod yn fwy hyderus wrth i ti ymarfer mwy.

   Byddi di'n .... wrth i ti ymarfer mwy.

5. Do'n i ddim yn gallu gweithio oherwydd y sŵn drilio oedd yn dod o'r drws nesa drwy'r amser.

   Do'n i ddim yn gallu gweithio gan fod y sŵn drilio o'r drws nesa ....

6. Rhoiodd Siân ei llaw yn y twb a mynd â chymaint o losin ag roedd hi'n gallu cydio ynddyn nhw.

   Aeth Siân â .... o losin o'r twb.

7. Doedd e ddim yn gallu aros i ddweud y newyddion da wrthoch chi.

   Roedd e .... eisiau dweud y newyddion da wrthoch chi.

8. Mae'r malwod yn dal yn yr ardd eleni, dim ots beth dw i'n wneud.

   Dw i'n methu .... y malwod o'r ardd eleni.

9. Dim ond Alun oedd ddim wedi cael pwdin toffi.

   Cafodd pawb bwdin toffi .... Alun.

10. Roedd pawb yn y ffatri yn siarad am ymweliad y Prif Weinidog.

    Ymweliad y Prif Weinidog oedd y .... yn y ffatri.

Darllen

Darllenwch eich darn chi ac atebwch y cwestiynau yn y tabl isod am eich darn chi'n unig.

Darn 1: Diwrnod Trwynau Coch – Ysgol Uwchradd Caereinion

Mae staff a disgyblion Ysgol Uwchradd Caereinion bob amser wrth eu boddau'n casglu arian at achosion da. Cafwyd llawer o hwyl yn casglu arian at Ddiwrnod Trwynau Coch a chafodd dros £908 ei gasglu. Roedd y chweched dosbarth yn brysur iawn yn trefnu gweithgareddau ac yn casglu arian drwy'r dydd. Roedd hi'n ddiwrnod heb wisg ysgol a bu llawer o ddisgyblion yn coginio cacennau blasus i'w gwerthu amser egwyl.

Cafodd y cacennau i gyd eu gwerthu mewn dim o dro. Trefnodd y chweched dosbarth gystadleuaeth 'Just Dance' rhwng yr athrawon yn y neuadd amser cinio. Diolch i Miss Merrigan, Miss Roberts, Miss Davies, Mr Smith, Mr Jones a Mr Humphreys am gymryd rhan ac i'r chweched dosbarth am drefnu'r holl ddigwyddiadau.

Darn 2: Bore Coffi Mwya'r Byd – Cymraeg i Oedolion Gwent

Cynhaliwyd Bore Coffi arbennig yng Nglyn Ebwy ar y 27ain o Fedi rhwng 9.30-12.30 **er mwyn** codi **ymwybyddiaeth** ac arian i Ofal Canser Macmillan. Dyma hanes y dydd gan Sarah Meek:

"Gan ein bod ni'n rhedeg Bore Coffi Cymraeg bob bore dydd Gwener yn y LAC, Glyn Ebwy, penderfynon ni fod yn rhan o 'Fore Coffi Mwya'r Byd' sy'n cael ei drefnu gan Macmillan.

"Roedd llawer o bobl, gan gynnwys ein dysgwyr ni, yn brysur iawn cyn y digwyddiad i wneud yn siŵr fod digon o deisennau hyfryd ar gael i bawb, yn union fel 'The Great Welsh Bake Off'! Roedd te a choffi ar gael hefyd. Roedd yr ymateb yn wych – daeth llawer o ddysgwyr a phobl eraill i'r sesiwn i'n cefnogi ni. Roedd pawb yn **hael** iawn, rhaid i mi ddweud!

"Yn ogystal â gwerthu teisennau, gaethon ni raffl gyda llawer o wobrau hyfryd – diolch yn fawr iawn i'r cwmnïau lleol a wnaeth **gyfrannu** gwobrau! Hefyd, daeth Amanda Smith, un o'n dysgwyr sy'n gweithio fel Difyrrwr Plant, i wneud balŵns i bobl – am **gyfraniad**, wrth gwrs! Gweithiodd hi'n galed iawn, felly diolch yn fawr iawn, Amanda, am ein helpu ni i godi **cyfanswm** mor wych!

"Mwynheuodd pawb y sesiwn yn fawr iawn a 'dyn ni mor falch ein bod ni wedi helpu achos mor dda ac ymarfer ein Cymraeg ar yr un pryd! Felly, diolch o galon i bawb a oedd yn rhan o'r peth – y pobyddion, yr helpwyr ac wrth gwrs y bobl a wariodd gymaint o arian ar y dydd! Byddwch chi'n falch o glywed ein bod ni wedi codi cyfanswm o £307.81 i Macmillan! Newyddion ffantastig!"

Darn 3: Beicio o Baris i'r Bont

Ym mis Awst, bu tri o aelodau Côr y Cwm ar daith seiclo noddedig o Baris i Bontafon er mwyn codi arian at y cynlluniau i adnewyddu Neuadd y Pentref. Gadawodd Alun Morris, Mai Jones a Geraint Lewis o gysgod Tŵr Eiffel fore dydd Sul yr 20fed ac roedd tyrfa fawr o bobl y pentref wedi **ymgasglu** ar sgwâr Pontafon i'w croesawu 'nôl am dri o'r gloch ddydd Sadwrn y 26ain. Roedd y tri wedi blino'n lân ar ôl eu taith, ond yn falch iawn o'u hymdrech.

Yn ôl Geraint, "Mae fy nghoesau i fel jeli ac mae fy mhen-ôl i'n boenus iawn – ceith y beic aros yn y garej am sbel nawr! Ond 'dyn ni'n falch iawn ein bod ni wedi llwyddo i godi dros fil o bunnau, diolch i bawb a wnaeth **gyfrannu** mor **hael** i'n noddi ni."

Cynhaliodd y côr gyngerdd yn y Neuadd ar y nos Sadwrn hefyd, ac **er gwaetha'r** blinder, roedd Alun, Mai a Geraint yno'n canu gyda nhw ac yn mwynhau'r cymdeithasu wedyn tan yr **oriau mân**! Cafodd cyfanswm o £750 ei ychwanegu at y **gronfa** drwy werthu tocynnau a thocynnau raffl ar y noson.

1. **Atebwch y cwestiynau ar gyfer y darn darllen y mae'r tiwtor wedi ei roi i chi yn y tabl isod. Wedyn holwch aelodau o'r ddau grŵp arall i gael yr atebion am eu darnau darllen nhw.**

	Darn 1	Darn 2	Darn 3
At ba achos roedd arian yn cael ei godi?			
Sut cafodd yr arian ei godi?			
Pryd cafodd y digwyddiad codi arian ei gynnal?			
Pwy oedd yn cymryd rhan yn y digwyddiad? Beth oedd eu rôl nhw?			
Faint o arian gafodd ei godi?			

2. Trafodwch: Pa weithgaredd oedd wedi codi'r swm mwya o arian? Pa un oedd fwya o hwyl, yn eich barn chi? Pa un fyddech chi fwya tebygol o gymryd rhan ynddo fe?

3. Mae'r ymadrodd **er mwyn** mewn dau o'r darnau darllen. Yr ystyr yma yw *in order to* – felly **er mwyn codi arian** = *(in order) to raise money*. Gorffennwch y brawddegau isod er mwyn esbonio pam gwnaethoch chi'r pethau hyn:

   i. Es i i'r farchnad er mwyn ....
   ii. Tynnais i arian ma's er mwyn ....
   iii. Prynais i bapur newydd er mwyn ....
   iv. Ffoniais i fe er mwyn ....

4. Mae **er mwyn** yn gallu golygu *for the sake of* neu *for the benefit of* hefyd, e.e. Gwnes i hynny **er dy fwyn di**. Dangoswch sut mae'r ymadrodd hwn yn newid gyda phersonau gwahanol:

   i. er mwyn – fi ....
   ii. er mwyn – ti ....
   iii. er mwyn – fe ....
   iv. er mwyn – hi ....
   v. er mwyn – ni ....
   vi. er mwyn – chi ....
   vii. er mwyn – nhw ....

Siaradwch

Meddyliwch am ddigwyddiad codi arian dych chi wedi bod ynddo. Trafodwch:

- Beth oedd y digwyddiad?
- Ble a phryd cafodd ei gynnal?
- At beth roedd arian yn cael ei godi?
- Pwy oedd yno? Faint o bobl?
- Dych chi'n gwybod faint o arian gafodd ei godi?

Deialog

Siân: Shwmae, Dai? Trueni fod ti ddim yn y dosbarth ddoe. 'Dyn ni wedi penderfynu trefnu ffair haf yn y Ganolfan.

Dai: Syniad da! Dych chi wedi pennu dyddiad?

Siân: Ydyn. Tair wythnos i fory – ar y pumed ar hugain.

Dai: Bydd rhaid i ni **ei siapio hi**, 'te – gwell i fi fwcio'r Ganolfan nawr.

Siân: Popeth yn iawn – gwnes i hynny ddoe, yn syth ar ôl y dosbarth.

Dai: O, iawn. Gwell i fi wneud poster, 'te.

Siân: Paid â becso, mae Petra'n gwneud hynny.

Dai: Ocê. Gwna i rywbeth i'w roi ar Facebook, 'te.

Siân: 'Sdim eisiau i ti, mae Ashok yn mynd i wneud hynny heddiw.

Dai: Iawn. Beth am i fi gysylltu â Radio Cymru, 'te?

Siân: Na, mae Alys am wneud hynny.

Dai: O, dyna ni. 'Sdim byd ar ôl i fi ei wneud, 'te!

Siân: O oes, Dai! Penderfynon ni taw ti fydd yn cael torri'r rhuban i agor y ffair!

Siaradwch
Trefnu digwyddiad codi arian

- Pa fath o ddigwyddiad dych chi eisiau ei drefnu?
- At ba achos dych chi eisiau codi arian?
- Penderfynwch ar ddyddiad, lleoliad a phris(iau).
- Pwy yw'ch **cynulleidfa darged** chi? Sut byddwch chi'n rhoi gwybod i bobl?
- Pwy fydd yn gwneud beth?
- Trefnwch y **cyhoeddusrwydd** – rhannwch y gwaith o lunio cyhoeddusrwydd (e.e. poster, taflen, hysbys ar gyfer gwefan y Ganolfan Dysgu Cymraeg Genedlaethol, y **cyfryngau cymdeithasol**, papur bro, cyhoeddiad ar gyfer y radio/teledu).

Rhestr wirio
Dw i'n gallu...

trafod digwyddiadau codi arian sy wedi bod.	
trafod trefniadau digwyddiadau.	
cofio a defnyddio mwy o eiriau ac idiomau.	

Uned 10 – Cymuned

Nod yr uned hon yw...

- Ymarfer cymharu ansoddeiriau
- Siarad am eich cymuned chi a chymunedau eraill
- Dysgu geirfa ac idiomau newydd

Geirfa

blaenoriaeth(au)	*priority (priorities)*
cledr (llaw)	*palm (of hand)*
hiliaeth	*racism*

adlewyrchu	*to reflect*
allforio	*to export*
canmol	*to praise*
crogi	*to hang*
cyd-fyw â	*to cohabit with*
diweddaru	*to update*
hyrwyddo	*to promote*
llofruddio	*to murder*
trosglwyddo	*to transmit, to transfer*

gweithgaredd(au)	*activity (activities)*
pardwn (pardynau)	*pardon(s)*
rhagbrawf (rhagbrofion)	*preliminary round(s)*
terfysg(oedd)	*riot(s)*

hiliol	*racist*

ar gam	*wrongfully, unjustly*
cynifer	*as many, so many*
ddim yn fêl i gyd	*not all good, not a bed of roses*
galw mawr	*big demand*
o ddrwg i waeth	*from bad to worse*
pedwar ban y byd	*four corners of the earth*

Siaradwch
Beth sy'n digwydd yn y llun yma?

Help llaw – Y radd gyfartal

'Dyn ni'n defnyddio'r **radd gyfartal** i ddweud **mor gyflym â** *(as fast as)*.

Dyma batrwm ansoddeiriau rheolaidd:
mor + ansoddair (treiglad meddal) + **â** (+ treiglad llaes)

cysurus	Dyw fy sliperi newydd ddim mor gysurus â'r hen sliperi.
cyflym	Mae hi'n gallu rhedeg mor gyflym â'r gwynt.
poblog	Dyw Paris ddim mor boblog â Llundain.
traddodiadol	Dyw'r dafarn yma ddim mor draddodiadol â'r Llew Coch.

- Cofiwch fod **â** yn troi yn **ag** o flaen llafariaid *(vowels)*.
- Dydy **ll** a **rh** ddim yn treiglo ar ôl **mor**.

Gwnewch y dril yma gyda'ch partner, yna llenwch y bylchau isod.

Roedd ffair yr ysgol yn brysur. ..*Doedd hi ddim mor brysur â hynny.*..........

Roedd ffair yr ysgol yn wag. ....

Roedd ffair yr ysgol yn dawel. ....

Roedd ffair yr ysgol yn llawn. ....

Roedd ffair yr ysgol yn llwyddiannus. ....

diog Mae'r bachgen .... 'i dad.
creadigol Dyw hi ddim .... chwaer.
gwyntog Mae hi .... heddiw .... ddoe.
llawen Roedd hi .... 'r gog* ar ôl ennill y gystadleuaeth.
rhad Dyw'r siop yma ddim .... archfarchnad.

* y gwcw

Dyma'r ansoddeiriau afreolaidd: **mawr, bach, da, drwg**.

mawr	cymaint cymaint â	*so much/many* *as much/many as*	Dw i erioed wedi gweld cymaint o sbwriel ar y stryd. Does dim cymaint o bobl â'r llynedd wedi dod i'r ŵyl.
bach	cyn lleied cyn lleied â	*so little/few* *as little/few as*	Pam mae cyn lleied o bobl wedi gwirfoddoli i helpu? Gallwch chi brynu car ail-law da am gyn lleied ag £800.
da	cystal cystal â	*so good* *as good as*	"Ydy hi'n well?" "Na, dyw hi ddim cystal heddiw, yn anffodus." Mae'r canlyniad cystal â'r disgwyl.
drwg	cynddrwg cynddrwg â	*so bad* *as bad as*	Doedd yr annibendod ddim cynddrwg wedi'r cyfan. Mae'r cymdogion cynddrwg â'i gilydd am gweryla.

- Mae **cynifer** hefyd yn cael ei ddefnyddio i olygu *so many / as many as.* Byddwch chi'n siŵr o glywed y gair wrth wrando ar y newyddion yn Gymraeg, e.e.:

  '... y broblem yw bod **cynifer** o bobl ddi-waith yn y dref...'
  'mae **cynifer** â chant o lyfrau ar goll.'

Ymarfer y radd gyfartal

Llenwch y bylchau yn y ddeialog yma. Yna, darllenwch y ddeialog gyda'ch partner.

A. Bore da, sut dych chi'n teimlo heddiw?

B. Gwell. Dim .... (drwg) .... ddoe.

A. Da iawn. Gadewch i fi edrych ar eich pwysedd gwaed chi .... da iawn. Dyw e ddim .... uchel ....ddoe. Gysgoch chi'n weddol?

B. Dim .... (da) ag arfer. Dw i wedi blino. Ches i ddim llawer o lonydd neithiwr gyda'r holl sŵn ar y ward.

A. Druan â chi, ond dych chi'n bendant yn gwella. Yr unig beth sy'n fy mhoeni i nawr yw eich bod chi'n bwyta .... (bach). Oes 'na broblem?

B. Nac oes. Dim .... (mawr) o chwant bwyd ag arfer, dyna i gyd.

A. Iawn. Wel, trïwch fwyta tamaid bach yn fwy heddiw. Byddwch chi'n holliach cyn diwedd yr wythnos, cewch chi weld!

Darllen

Cymuned Somali Caerdydd

Geirfa:

allforio	**terfysgoedd**	**hiliol**	**hyrwyddo**	**hiliaeth**	**crogi**
llofruddio	**adlewyrchu**	**cyd-fyw**	**pardwn**	**tyst**	

Yn y bedwaredd ganrif ar bymtheg, daeth llawer o Affricanwyr i ddociau Caerdydd i weithio fel llongwyr. Roedd **galw mawr** am longwyr achos bod Caerdydd yn **allforio** cymaint o lo i **bedwar ban y byd**. Daeth hanner y llongwyr hyn o Somalia, a dyma oedd dechrau'r gymuned Somali hyna ym Mhrydain. Daeth rhagor o Somaliaid i helpu yn y dociau adeg y ddau ryfel byd, nes bod cymaint â 6,500 o Somaliaid yn Nhre-biwt a Grangetown.

Ym mis Mehefin 1919 digwyddodd **terfysgoedd hiliol** yng Nghaerdydd ac aeth y sefyllfa **o ddrwg i waeth** ar ôl i Brif Gwnstabl Caerdydd ddweud pethau hiliol am Somaliaid. Yn 1930 cafodd Cymdeithas Gyfeillgar Meibion Affrica ei sefydlu i **hyrwyddo** delwedd bositif o Affrica ac Affricanwyr, ond roedd **hiliaeth** cynddrwg ag erioed yn yr ardal.

Cafodd mosg ei adeiladu gan y Somaliaid yn 1947, ac roedden nhw bellach yn **cyd-fyw**'n agos â chymunedau o bob rhan o'r byd. Ond doedd pethau **ddim yn fêl i gyd**. Yn 1952 cafodd Mahmood Hussein Mattan ei **grogi ar gam** yng Ngharchar Caerdydd am **lofruddio** siopwraig. Roedd y prif **dyst** wedi cael arian gan yr heddlu a doedd y pedwar **tyst** arall ddim wedi adnabod Mattan! Cafodd Mattan **bardwn** yn 2001.

Erbyn heddiw, mae llawer o siaradwyr Cymraeg yn byw yn Nhre-biwt a Grangetown. Agorodd ysgol Gymraeg gyntaf Tre-biwt yn 2016, sef Ysgol Hamadryad. Cafodd yr ysgol ei henwi ar ôl llong ysbyty *Hamadryad*, oedd yn arfer bod wrth angor ar bwys yr ysgol. Roedd y llong yn ysbyty i longwyr o bob rhan o'r byd, ac mae **adlewyrchu** diwylliant arbennig Tre-biwt a Grangetown yn bwysig iawn i Ysgol Hamadryad.

i. Edrychwch ar yr ymadroddion hyn sy yn y darn darllen:

galw mawr	**pedwar ban y byd**	**ddim yn fêl i gyd**
o ddrwg i waeth	**ar gam**	

Gyda'ch partner, ailysgrifennwch y brawddegau isod, gan ddefnyddio'r ymadroddion cywir.

1. Roedd Sam a Nia yn mwynhau gweithio gyda'i gilydd, ond doedd pethau ddim yn hawdd bob amser.

....

2. Roedd poblogaeth y pentref yn isel, ac aeth pethau'n ddrwg ar ôl cau'r ysgol.

....

3. Breuddwyd Iona yw gwneud gwaith gwirfoddol mewn llawer o wledydd tramor.

....

4. John gafodd y bai am dorri'r ffenestr, ond dim fe wnaeth.

....

ii. Cyfieithwch:
Cardiff exported so much coal.

....

As many as 6,500 Somalis lived in Butetown and Grangetown.

....

Racism was as bad as ever in the area.

....

iii. Mae'r gair **cyd-fyw** yn y darn darllen. Nodwch o leiaf **dri** gair arall sy'n dechrau gyda **cyd**.

....

....

....

Help llaw – Y radd gymharol

Pan fyddwn ni'n dweud *bigger than* neu *smaller than*, dyn ni'n defnyddio'r **radd gymharol**.

Y patrwm yw: -**ach** + **na** (+ treiglad llaes).

Mae Lois yn dalach na Cadi. Mae Madrid yn boethach na Chasnewydd.

- O flaen llafariad *(vowel)*, mae **na** yn troi'n **nag**: Mae Bangor yn oerach nag Aberystwyth.
- Fel yn y radd eithaf, os bydd ansoddair byr yn gorffen gyda **b**, **d**, neu **g** mae'r llythyren olaf yn 'caledu':

  gwly**b** → gwly**p**ach rha**d** → rha**t**ach
  cyfoetho**g** → cyfoetho**c**ach

- Mae **w** yn gallu troi yn **y**, e.e. tr**w**m → tr**y**mach
- Rhaid i ni roi **mwy / llai** o flaen ansoddeiriau hir, gan gofio bod **mwy** yn treiglo ar ôl **yn**:

Mae'r ci newydd yn **fwy** cyfeillgar **na'r** hen gi. Rwyt ti'n **llai** dibynadwy **na** dy frawd.

Unwaith eto, mae angen dysgu'r pedwar ansoddair afreolaidd: **mawr, bach, da, drwg**.	
mawr	mwy
bach	llai
da	gwell
drwg	gwaeth

Mae'r ansoddeiriau hyn hefyd yn afreolaidd	
Ansoddair	**Cymharu**
hawdd	haws (neu 'hawddach')
anodd	anos (neu 'anoddach')
llydan	lletach
hen	hŷn (mae 'henach' hefyd yn bosib)
ifanc	iau (mae 'ifancach' hefyd yn bosib)
cynnar	cynharach (mae **cynt*** hefyd yn bosib)
uchel	uwch
isel	is
braf	brafiach

*Mae **cynt** yn cael ei ddefnyddio weithiau fel ffurf gymharol **cyflym**, e.e. yn **gynt** na'r **gwynt**. Fel arfer, **cyflymach** sy'n cael ei ddefnyddio.

Gyda'ch partner, gwnewch frawddegau sy'n cymharu'r pethau hyn:

1. Pontypridd + Caerdydd ....
2. bwyta bwydydd parod + bwyta bwydydd ffres ....
3. nofelau + llyfrau ffeithiol ....
4. mochyn daear + ysgyfarnog ....
5. gwyddoniaeth + mathemateg ....
6. gor-ŵyr + Mam-gu ....
7. y lleuad + y ddaear ....
8. mordaith + hedfan ....

Ymarfer

Mewn grwpiau, edrychwch ar y rhestr hon o gyfleusterau yn y gymuned. Rhowch nhw yn nhrefn eu **blaenoriaeth** *(priority)* o ran eu pwysigrwydd. Er enghraifft, "Mae'r llyfrgell yn **bwysicach** na'r dafarn."

canolfan hamdden
llyfrgell
cae chwarae
parc
addoldy (e.e. eglwys)
tafarn
swyddfa'r post
theatr / sinema
toiledau cyhoeddus
banc

Gwylio a gwrando

Geirfa:

cydweithredol
chwarel
arloesol
chwyldroadol
marwaidd
gweledigaeth
mentergarwch
yn ei anterth

Byddwch chi'n gwrando ar Aled Hughes yn sgwrsio â Lois Ellis, sy'n helpu i redeg Tafarn y Fic yn Llithfaen. Pentref bach ger Nant Gwrtheyrn yng ngogledd Cymru yw Llithfaen. Mae'r Fic yn dafarn gydweithredol, ac roedd tad Lois yn un o'r criw wnaeth gasglu arian i brynu'r dafarn ar ôl iddi hi gau.

1. Beth yw arwyddocâd y rhifau hyn yn y darn gwrando?

   30 ....

   1988 ....

   12,000 ....

   1963 ....

2. Mae Lois yn rhestru'r pethau oedd wedi cau yn y pentref. Allwch chi enwi tri ohonyn nhw?

   ....

   ....

   ....

3. Yn ôl Lois, pa fath o le fasai Llithfaen tasen nhw heb achub y dafarn?

   ....

4. Mae tri ansoddair newydd yn y darn yma, sef cydweithredol, chwyldroadol ac arloesol. Allwch chi a'ch partner feddwl am ansoddair arall sy'n gorffen ag **–ol**? ....

   Wrth feddwl am y tri ansoddair newydd, allwch chi ddyfalu beth yw ystyr:

   arloeswr ....

   cydweithredu ....

   Y Chwyldro Ffrengig ....

Siaradwch

Oes tafarn, caffi neu fenter gydweithredol arall yn eich ardal chi?
Fasech chi'n hapus i gyfrannu arian at fenter gydweithredol?
Ble dych chi'n hoffi mynd i gymdeithasu?

Dych chi nawr yn gallu darllen y llyfr *Cofio Anghofio* (CAA). Dyma'r clawr a'r paragraffau cynta. Ewch i'ch siop Gymraeg leol neu www.gwales.com.

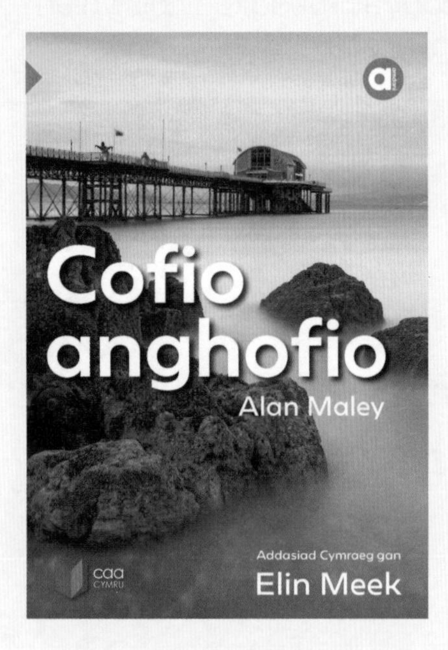

Cododd Siân y ffôn a ffonio rhif ei chwaer, ond dim ond neges peiriant gafodd hi. "Mae'n ddrwg gen i. Does neb ar gael i ateb y ffôn. Gadewch neges ar ôl y bîp."

Ceisiodd Siân ddweud beth oedd ei neges heb fynd yn grac.

"Helô, Catrin. Siân sy 'ma. Mae'n ddrwg gen i, ond bydd rhaid i ti ddod lawr at Mam. Mae'n rhaid i ni siarad. Dw i'n gwybod dy fod ti wastad yn brysur, ond bydd rhaid i ti ddod. Mae Mam wedi mynd yn ormod i fi. Ffonia fi 'nôl yn nhŷ Mam mor gyflym â phosib."

Rhestr wirio
Dw i'n gallu...

defnyddio ansoddeiriau (cyfartal a chymharol).	
siarad am fy nghymuned a chymunedau eraill.	

Uned 11 – Teulu a Ffrindiau

Nod yr uned hon yw...
- Defnyddio ansoddeiriau'r radd eithaf, e.e. hyna, ifanca, tala, mwya
- Siarad am deuluoedd a ffrindiau
- Dysgu geirfa ac idiomau newydd

Geirfa

cenhedlaeth (cenedlaethau)	*generation(s)*
mynedfa (mynedfeydd)	*entrance(s)*

bwrw golwg (dros)	*to take a look, to cast an eye over*
Seisnigo	*to Anglicize*
ymchwilio (i)	*to research*

cymhleth	*complicated*

adloniant (adloniannau)	*entertainment*
blaendal(iadau)	*deposit(s), retainer(s)*
Cymro (Cymry)	*Welshman (the Welsh)*
dull(iau)	*method(s), procedure(s)*
gorffennol	*the past*
gor-ŵyr (gorwyrion)	*great grandson (great grandchildren)*
gwestai (gwesteion)	*guest(s)*
mynediad(au)	*access(es) admission(s)*
taldra	*height*

gorau po gynta	*the sooner the better*

Geiriau pwysig i fi

×
×
×
×

Adolygu

• SGLODION •
• CAWS •
• BANANAS •
• BARA •
•CYRRI•
• CACENNAU •
• CAWL •
• PASTA •

Edrychwch ar y geiriau ar y chwith.

Defnyddiwch yr ansoddeiriau hyn yn y **radd gymharol** i gymharu'r bwydydd â'i gilydd, e.e. Mae pasta'n iachach na sglodion.

iach **blasus** **poeth**
melys **drwg i ni**

Nodwch o leiaf 10 gair ar y thema **Teulu a Ffrindiau** yn y blwch isod:

Darllen

Cyfenwau Cymru

Geirfa: ymchwilio **gorffennol** **cymhleth** **enw bedydd**
cenhedlaeth **arfer** **Seisnigo** **dull**

Os dych chi'n **ymchwilio** i hanes eich teulu yng Nghymru, y broblem fwyaf fel arfer yw'r ffaith fod llawer iawn o bobl yn defnyddio'r un cyfenwau – Price, Griffiths, Rees, Williams, Davies – a Jones wrth gwrs! Wrth fynd yn bellach i'r **gorffennol**, mae hi hyd yn oed yn fwy **cymhleth**. Roedd pobl yn arfer defnyddio **enw bedydd** y tad fel cyfenw, oedd yn golygu bod cyfenw'r teulu'n newid bob **cenhedlaeth**. Er enghraifft:

Gwilym ap Dafydd → Gruffudd ap Gwilym → Iolo ap Gruffudd

Roedd merched yn defnyddio 'ferch' neu 'ach' yn lle 'ap', e.e. Branwen ferch Llŷr, sydd mewn hen chwedl Gymraeg. Doedd merched ddim yn newid eu henwau ar ôl priodi.

Weithiau, roedd rhai pobl yn rhoi enw lle fel cyfenw, e.e. Iolo Morganwg, sy'n enwog hyd heddiw am sefydlu Gorsedd y Beirdd yn yr Eisteddfod Genedlaethol. **Arfer** arall oedd defnyddio llysenwau oedd yn disgrifio golwg person, e.e. Llwyd neu Fychan.

Erbyn 1837, pan ddechreuodd cofrestru sifil yn Saesneg, roedd y Cymry'n defnyddio cyfenwau Saesneg. Cafodd llawer o'r cyfenwau yma eu creu wrth **Seisnigo** enwau fel ap Hywel (Powell), ap Rhys (Price) ac ap Rhisiart (Pritchard) a Llwyd (Lloyd), Du (Dee), Fychan (Vaughan) a Goch (Gough). Hefyd, er mwyn cael cyfenw Saesneg, roedd llawer o Gymry'n dewis enwau seintiau poblogaidd fel John, David, Thomas (Jones, Davies a Thomas). Dyna pam, felly, mae cymaint o bobl Cymru yn defnyddio'r un cyfenwau.

Yn ystod yr hanner can mlynedd diwethaf, mae'r **dull** traddodiadol o enwi plant (e.e. ap Dafydd) wedi dod yn boblogaidd yng Nghymru eto gyda siaradwyr Cymraeg, a llawer o bobl eraill, yn sillafu eu cyfenwau yn y ffordd Gymraeg, e.e. Prys yn lle Price a Gruffudd yn lle Griffiths. Mae defnyddio enwau lleoedd fel cyfenwau hefyd yn dod yn fwy cyffredin, a rhai **Cymry** adnabyddus yn defnyddio cyfenwau fel Gwynedd, Clwyd, Llŷn a Teifi.

1. Cyfieithwch y canlynol, heb edrych yn ôl ar y darn os yw'n bosib:

the biggest problem ....

further ....

more complicated ....

most common ....

so many ....

more popular ....

more common ....

2. Yn y darn yma, mae tri gair neu ymadrodd sy'n cynnwys y gair 'enw'. Ysgrifennwch nhw yma:

....

3. **Gyda'ch partner, trafodwch beth yw:**

Cymru **Cymry** **Cymraeg** **Cymreig** **Saesneg** **Seisnigo**

Meddyliwch am ddiffiniad byr i bob gair.

4. O'r cyfenwau hyn, pa un yw'r **mwya cyffredin** a pha un yw'r **lleia cyffredin** yng Nghymru, yn eich barn chi?

Lewis **Davies** **Thomas** **Hughes** **Roberts**

5. Llenwch y bylchau yn y tabl isod. Mae'r wlad gyntaf wedi ei gwneud i chi.

Gwlad	Dyn	Menyw	Pobl	Iaith	Ansoddair
Cymru	Cymro	Cymraes	Cymry	Cymraeg	Cymreig
Lloegr					
Ffrainc					
Iwerddon					
Yr Eidal					
America					
Sbaen					
Yr Alban					

Siaradwch

- Oes cyfenw diddorol gyda chi?
- Dych chi'n hoffi eich enw bedydd? Hoffech chi gael enw gwahanol?
- Oes problemau'n codi gyda'ch enw chi?
- Oes diddordeb gyda chi yn hanes eich teulu?

Help llaw – Y radd eithaf

I greu **gradd eithaf** yr ansoddair 'dyn ni'n ychwanegu **–a** at ansoddeiriau rheolaidd sy'n eithaf byr.

Mewn Cymraeg mwy ffurfiol, 'dyn ni'n ychwanegu **–af**.

- Mae'r ansoddair yn **treiglo'n feddal** os 'dyn ni'n disgrifio un **ferch/fenyw** neu un **peth benywaidd**, e.e.

  Mared yw'r dawela yn y dosbarth. Dyna'r gath berta ohonyn nhw i gyd.

- Os bydd ansoddair byr yn gorffen gyda **b**, **d** neu **g** mae'r llythyren olaf yn 'caledu' cyn **–a**:

  gwly**b** → gwly**p**a rha**d** → rha**t**a dru**d** → dru**t**a / dry**t**a
  cale**d** → cale**t**a cyfoetho**g** → cyfoetho**c**a

- Mae **w** yn gallu troi yn **y**, e.e. tr**w**m → tr**y**ma

- Rhaid i ni roi **mwya / lleia** o flaen ansoddeiriau hir, a **threiglo**'r geiriau hynny'n **feddal** ar ôl gair benywaidd:

  Dyna'r dyn **lleia** trefnus yn y swyddfa. Dyma'r nofel **fwya** poblogaidd eleni.

  Mae angen dysgu'r pedwar ansoddair afreolaidd *(irregular)*: **mawr, bach, da, drwg**.

  Mae ystyr y geiriau'n gallu newid *(biggest/most; smallest/least)*

mawr	mwya	Twm yw'r mwya yn y dosbarth. Sara yw'r fwya dibynadwy.	*biggest* *most*	Mae **mwya** a **lleia** hefyd yn golygu *major* a *minor*, e.e. wrth ddisgrifio cerddoriaeth.
bach	lleia	Hwn yw'r pysgodyn lleia yn y siop. Hi yw'r athrawes leia anniben yn yr ysgol.	*smallest* *least*	
da	gorau	Morgan yw'r dyn gorau i wneud y gwaith. Hon yw'r gân orau ar yr albwm.	*best*	
drwg	gwaetha	Fe yw'r chwaraewr gwaetha yn y tîm eleni. Hi yw'r ferch waetha am golli gwersi.	*worst*	

Mae'r ansoddeiriau isod hefyd ychydig yn wahanol:

Ansoddair	Gradd eithaf
hawdd	hawsa
tlawd	tlota
llydan	lleta
hen	hyna (mae 'hena' hefyd yn bosib)
ifanc	ieuenga (mae 'ifanca' hefyd yn bosib)

*Yn Saesneg, 'dyn ni'n defnyddio'r **radd gymharol** wrth ddweud: *'He is my elder brother'* neu *'Upper Brynaman'*.
Ond yn Gymraeg, 'dyn ni'n defnyddio'r **radd eithaf**, felly'r cyfieithiadau Cymraeg cywir yw 'Fe yw fy mrawd hyna' a 'Brynaman Ucha'.

Ymarfer y radd eithaf

Edrychwch ar fanylion y nofelau. Ysgrifennwch frawddegau gan ddilyn y patrwm. Cofiwch fod **nofel** yn fenywaidd.

1. hira   *Rhosyn y Marchog* yw'r nofel hira.
2. byrra ....
3. mwya poblogaidd ....
4. lleia poblogaidd ....
5. trista ....
6. mwya doniol ....
7. gorau ....
8. gwaetha ....

Teitl: *Y Ferch ar y Bws* **Tudalennau:** 235 **Wedi gwerthu:** 1.5 miliwn **Trist / doniol?** ☺☺ **Adolygiadau:** 👍👍👍👍👍	**Teitl:** *Hen Fwthyn Nain* **Tudalennau:** 450 **Wedi gwerthu:** 500,000 **Trist / doniol?** ☺☺☺ **Adolygiadau:** 👍👍👍👍	**Teitl:** *Jeli i Frecwast* **Tudalennau:** 159 **Wedi gwerthu:** 1.2 miliwn **Trist / doniol?** ☺☺☺ **Adolygiadau:** 👍👍👍	**Teitl:** *Fi a Mot y Ci* **Tudalennau:** 305 **Wedi gwerthu:** 2 filiwn ☺☺☺ **Trist / doniol?** 👍👍 **Adolygiadau:**
Teitl: *Arwr yr Andes* **Tudalennau:** 266 **Wedi gwerthu:** 200,000 **Trist / doniol?** ☺ **Adolygiadau:** 👍👍👍	**Teitl:** *50 Arlliw o Goch* **Tudalennau:** 257 **Wedi gwerthu:** 1.8 miliwn **Trist / doniol?** ☺☺ **Adolygiadau:** 👍	**Teitl:** *Gwibdaith yn y Gofod* **Tudalennau:** 390 **Wedi gwerthu:** 300,000 **Trist / doniol?** ☺☺☺☺ **Adolygiadau:** 👍👍👍👍	**Teitl:** *Rhosyn y Marchog* **Tudalennau:** 500 **Wedi gwerthu:** 250,000 **Trist / doniol?** ☺☺☺ **Adolygiadau:** 👍👍👍👍

Edrychwch ar fanylion y Teulu Rossi. Ysgrifennwch frawddegau i ddweud pa aelod o'r teulu yw'r:

1. hyna ....
2. ifanca ....
3. tryma ....
4. ysgafna ....
5. cyfoethoca ....
6. tlota ....
7. tala ....
8. byrra ....

Enw: Elena Rossi **Dyddiad geni:** 07.02.98 **Taldra:** 1.77m **Pwysau:** 75kg **Arian yn y banc:** £50	**Enw:** Fabrizio Rossi **Dyddiad geni:** 25.04.31 **Taldra:** 1.55m **Pwysau:** 70kg **Arian yn y banc:** £8,000	**Enw:** Emilio Rossi **Dyddiad geni:** 30.12.55 **Taldra:** 1.89m **Pwysau:** 98kg **Arian yn y banc:** £1,000	**Enw:** Lucia Rossi **Dyddiad geni:** 05.10.76 **Taldra:** 1.56m **Pwysau:** 69kg **Arian yn y banc:** £47,000
Enw: Gina Rossi **Dyddiad geni:** 30.10.61 **Taldra:** 1.61m **Pwysau:** 48kg **Arian yn y banc:** £158	**Enw:** Mared Rossi **Dyddiad geni:** 05.05.99 **Taldra:** 1.70m **Pwysau:** 59kg **Arian yn y banc:** £13	**Enw:** Lisa Rossi-Morus **Dyddiad geni:** 28.02.85 **Taldra:** 1.25m **Pwysau:** 50kg **Arian yn y banc:** £250	**Enw:** Owain Rossi **Dyddiad geni:** 23.01.98 **Taldra:** 1.9m **Pwysau:** 95kg **Arian yn y banc:** £30

Holiadur

Mae angen **treiglo** ansoddair sy'n disgrifio berf **yn feddal**, fel sy'n digwydd yn y cwestiynau isod.

Gofynnwch y cwestiynau i 3 aelod o'ch dosbarth

Cwestiwn	1	2	3
Pa raglen deledu dych chi'n ei hoffi fwya?			
Pa waith tŷ dych chi'n ei gasáu fwya?			
Pwy sy'n rhedeg gyflyma yn eich teulu / gweithle chi?			
Pa dywydd dych chi'n ei hoffi leia?			
Pa gêm fwrdd neu gardiau dych chi'n ei chwarae amla?			

Gwrando

Byddwch chi'n gwrando ar sgwrs ffôn rhwng Deborah ac Ifan. Mae Ifan yn gweithio mewn gwesty ac mae Deborah yn ffonio i drefnu parti pen-blwydd i'w thad-cu.

Rhowch gylch o gwmpas y geiriau hyn pan fyddwch chi'n eu clywed nhw:

parti a hanner **neuadd fawr** **gorau po fwya** **gorwyrion**
gor-or-wyrion **mynediad** **gwesteion** **mynedfa**
blaendal **bwrw golwg**

1. Pryd hoffai Deborah gynnal y parti i'w thad-cu?
2. Faint o bobl fydd yn dod i'r parti?
3. Nodwch dri chwestiwn arall y mae Deborah yn eu gofyn i Ifan:

   ....

   ....

   ....

4. Nodwch dri o'r perthnasau sy'n cael eu henwi yn y sgwrs.

   ....

5. Meddyliwch am y geiriau **gor-ŵyr** a **gor-or-ŵyr**. Mae **gor** yn golygu *over*, *hyper* neu *ultra*. Felly, sut byddech chi'n cyfieithu'r geiriau hyn? Cofiwch fod treiglad meddal ar ôl **gor**.

   overtime .... *to overdo* .... *to overfill* ....

   ....

   to overwork .... *to overact* ....

   ....

   gorboethi .... gorhyderus .... gorymateb ....

   ....

gordewdra .... gorboblogi .... goryrru ....

....

gor-ddweud .... gorddibyniaeth .... gorflino ....

....

6. Sylwch ar y gwahaniaeth rhwng **mynediad** *(access/entry)* a **mynedfa** *(entrance)*. Allwch chi feddwl am **dri** gair arall sy'n gorffen gyda –**fa**, a **thri** gair sy'n gorffen gyda -**iad**?

....

....

7. Mae'r ymadroddion yma i gyd yn y darn gwrando. Llenwch y bylchau:

aelod ....'r teulu — yr ....yn flwydd

y dydd Gwener fyddai .... — yr ....yn gant

te p'nawn fyddai .... — dim ond y ....i fy hen dad-cu

Rhestr wirio

Dw i'n gallu...

defnyddio ansoddeiriau (cymharol ac eithaf).	
siarad am deuluoedd a ffrindiau.	

Uned 12 – Bwyd

Nod yr uned hon yw...
- Defnyddio'r lluosog
- Siarad am fwyd ac arferion bwyta
- Dysgu geirfa ac idiomau newydd

Geirfa

bwydlen(ni)	*menu(s)*
Y Wladfa	*The Welsh Colony in Patagonia*

berwi	*to boil*
cynhyrchu	*to produce*
lledu	*to spread*
sleisio	*to slice*
stwnsio	*to mash*

rhoi'r byd yn ei le	*to put the world to rights*
yn ystod	*during*

arogl(euon)	*smell(s), scent(s), aroma(s)*
caead(au)	*lid(s)*
canolbwynt	*focus*
cnwd (cnydau)	*crop(s)*
cynhwysyn (cynhwysion)	*ingredient(s)*
lobsgóws	*lobscouse, Irish stew*
llaeth enwyn	*buttermilk*
mewnfudwr(-wyr)	*immigrant(s)*
paith (peithiau)	*prairie, pampas*

bwytadwy	*edible*
cartrefol	*homely, domestic*
cyfartalog	*average*
chwerw	*bitter*

Geiriau pwysig i fi

×

×

×

×

Adolygu'r radd eithaf

Defnyddiwch y cardiau dinasoedd i weld pa un yw...

y ddinas hyna ....

y ddinas ifanca ....

y ddinas fwya ....

y ddinas leia ....

y ddinas fwya poblog ....

y ddinas leia poblog ....

y ddinas boetha yn yr haf ....

y ddinas oera yn y gaeaf ....

y ddinas fwya poblogaidd i dwristiaid ....

Deialog – Byw yn y wlad

Geirfa: cynhyrchu **cnydau**

A. Bore da. Dw i yma heddiw ar fferm Dyffryn Glas gyda'r teulu Jones. Allwch chi ddweud wrtha i beth dych chi'n ei **gynhyrchu** yma?

B. Llaeth yn bennaf. Mae cant dau ddeg o fuchod gyda ni. Ond 'dyn ni hefyd yn cadw 100 o ddefaid, ac wedi cael pedwar oen bach newydd yr wythnos yma.

A. Dych chi'n brysur! Oes **cnydau** ar y fferm hefyd?

B. Nac oes, 'dyn ni ddim yn tyfu cnydau ond mae gardd lysiau gyda ni. Mae'r plant yn tyfu moron a thatws.

A. Faint o blant sy gyda chi?

B. Pump. Dau fab a thair merch.

A. Ydyn nhw'n helpu gyda'r anifeiliaid?

B. Ydyn, chwarae teg. Mae'r ferch hyna yn mwynhau helpu gyda'r godro, ac mae'r ddwy arall yn cadw ieir. Y merched sy'n gofalu am y cathod hefyd.

A. Beth am y meibion?

B. Maen nhw'n iau na'u chwiorydd. Maen nhw'n wyth ac yn chwech oed, ac mae'n well gyda nhw fod tu fa's gyda'r cŵn a'r defaid. 'Dyn nhw ddim yn helpu llawer, a dweud y gwir!

A. Diolch yn fawr iawn am siarad â fi.

B. Croeso!

Gyda'ch partner, llenwch y bylchau yn y tabl isod. Mae'r un cyntaf wedi ei wneud i chi.

unigol	lluosog
cnwd	cnydau
fferm	
	buchod
	defaid
oen	
	plant
mab	
merch	
	chwiorydd
	anifeiliaid
	ieir
	cŵn
gardd	
cath	
cig	
	tatws
	llysiau
diod	

Help llaw

- Cofiwch: **Faint o blant** ond **Sawl plentyn**
  Faint o + lluosog **Sawl + unigol**
- Gyda nifer isel, dyn ni'n defnyddio'r unigol, e.e. 'dau fab'. 'Dyn ni'n defnyddio **rhif + o + lluosog** gyda nifer uwch, e.e. 'cant o ddefaid'.
- Mae llawer o anifeiliaid yn ffurfio'r lluosog gyda-**od**, e.e. buchod, cathod, cwningod, llwynogod.
- Os yw gair yn gorffen gyda -**nt**, mae dwy **n** fel arfer yn y lluosog, e.e. dannedd, cannoedd, punnau/ punnoedd.
- Mae enwau lleoedd yn aml yn gorffen gyda -**fa**, e.e. amgueddfa, meddygfa, swyddfa. Mae'r -**fa** yn newid i -**feydd** yn y lluosog, e.e. swydd**feydd**.
- Pan fydd enw yn gweithio fel ansoddair ac yn disgrifio enw arall, mae'r Gymraeg yn defnyddio'r **lluosog** mewn llawer o achosion lle byddai'r Saesneg yn defnyddio'r **unigol**:
  e.e. past **dannedd** cig **moch** cas **pensiliau**
  sosban **sglodion** pliciwr **tatws** clwtyn **llestri**

Felly, beth yw'r enwau hyn yn Gymraeg?

Enw gwrywaidd	Yn Gymraeg?	Enw benywaidd	Yn Gymraeg?
student village		*bus station*	
cheque book		*bookshop*	
dishwasher		*sheep farm*	

Nodwch o leiaf 10 gair ar y thema 'Bwyd' yn y blwch isod.

Gwylio a gwrando

'Benthyg Teulu' – Supachai a'r teulu Jones

Mae Supachai yn dod o Wlad Thai yn wreiddiol. Mae'n ddeintydd yng Nghasnewydd ac mae'n dysgu Cymraeg. Mae e wedi dod i aros gyda'r teulu Jones ym Mhen Llŷn er mwyn ymarfer ei Gymraeg. Yn y fideo yma, mae e'n dangos i Gillian Jones sut i goginio reis jasmin a salad porc **sbeislyd** o Wlad Thai.

1. Rhowch gylch o gwmpas y geiriau hyn pan fyddwch chi'n eu clywed nhw:

   sleisio **caead** **cig oen** **lobsgóws** **llaeth enwyn**

   berwi **stwnsio** **powlen**

2. Allwch chi feddwl am eiriau Cymraeg eraill ar gyfer **ogleuo** a **nionyn**?

   ....

3. Beth mae Supachai a Gillian yn ei wneud yn gyntaf?

   ....

4. O ble mae'r **cynhwysyn** cyfrinachol *(secret ingredient)* yn dod?

   ....

5. Pryd mae lobsgóws yn cael ei fwyta fel arfer?

   ....

6. Enwch y cynhwysion sydd yn y pryd bwyd traddodiadol o Ben Llŷn:

   ....

7. Meddyliwch am eiriau i fynd gyda'r geiriau hyn. Mae'r cyntaf wedi'i wneud i chi:

   lliain *lliain bwrdd, lliain sychu llestri*......

   llwy ....

   peiriant ....

   cwpwrdd ....

Darllen

Bwyd y Wladfa

Geirfa:

Y Wladfa	**yr oriau mân**	**canolbwynt**	**mewnfudwyr**
bwydlenni	**paith**	**chwerw**	**yn ystod**
bwytadwy	**arogleuon**	**lledu**	**cartrefol**
rhoi'r byd yn ei le			

Os ewch chi ar wyliau i'r **Wladfa** Gymreig yn yr Ariannin, efallai byddwch chi'n teimlo fel tasech chi mewn cornel fach o Gymru. Ond dewch chi i ddeall bod llawer o arferion y Wladfa yn wahanol iawn i rai Cymru – yn enwedig arferion bwyta.

I ddechrau, mae pobl y Wladfa yn bwyta pryd o fwyd tua naw neu ddeg y nos. Gwelwch chi bobl a phlant o bob oed mewn bwytai, yn bwyta ac yn sgwrsio tan **yr oriau mân**.

Cig yw **canolbwynt** prydau bwyd traddodiadol y wlad, a does dim llawer o lysieuwyr yn y Wladfa. Wedi dweud hynny, mae dylanwad **mewnfudwyr** o'r Eidal yn golygu bod pasta neu *pizza* heb gig ar **fwydlenni** fel arfer.

Mae llawer o dai te Cymreig yn y Wladfa, ond diod o'r enw *mate* yw ffefryn pobl y **paith**. Diod boeth **chwerw** yw *mate*, sy'n cael ei gwneud o blanhigyn *yerba mate*. Dych chi'n ei hyfed trwy diwb o'r enw *bombilla*, ac mae llawer o bobl yn cario fflasg o ddŵr twym i bob man, er mwyn yfed *mate* drwy'r dydd. Fel coffi, mae'n help i gadw pobl yn effro, ac mae hefyd yn cadw pobl i fynd os ydyn nhw'n rhy brysur (neu'n rhy dlawd) i gael pryd o fwyd.

Yn ystod eich ymweliad, efallai byddwch chi'n ddigon ffodus i gael gwahoddiad i'r *quincho* am *asado*. Beth yw hynny, tybed?

Wel, yn syml, ystafell fwyta yw *quincho* gyda ffwrn i wneud *asado*, sef fersiwn yr Ariannin o'r barbeciw. Ond nid byrgers a selsig o'r archfarchnad sydd ar y tân, ond darnau mawr o gig – neu efallai oen cyfan – a phob rhan **fwytadwy** o'r anifail. Mae'r *quincho* fel arfer mewn garej neu mewn cwt yn yr ardd fel bod mwg ac **arogleuon** ddim yn **lledu** o amgylch y tŷ. Does dim byd ffurfiol am y *quincho*; mae'n ystafell **gartrefol** lle mae ffrindiau a theulu'n ymlacio ac yn **rhoi'r byd yn ei le**.

i. Yn y tabl isod, ysgrifennwch y gair lluosog o dan y gair unigol. Yna, ysgrifennwch ddau air lluosog arall â'r un terfyniad (*ending*) lluosog. Mae'r cyntaf wedi ei wneud i chi.

unigol	cornel	ymweliad	planhigyn	archfarchnad
lluosog	corneli			
dau air arall â'r un terfyniad lluosog	bisgedi rhaglenni			

ii. Beth yw'r gwahaniaeth rhwng **prydau** a **prydiau**?

iii. Beth yw ffurfiau **unigol** yr enwau lluosog isod?

gwyliau .... bwytai .... llysieuwyr ....

mewnfudwyr .... bwydlenni .... tai ....

arogleuon .... arferion .... oriau ....

iv. Fel arfer yn Gymraeg, pan fydd yr enw lluosog yn cael ei ddefnyddio'n amlach na'r enw unigol, -**en** neu -**yn** yw terfyniad y gair unigol. Er enghraifft, coed > coeden; pysgod > pysgodyn. Felly, beth dych chi'n meddwl yw unigol y geiriau hyn?

selsig .... llygod ....

moron .... blew ....

pys .... adar ....

tatws .... plu ....

bresych .... dail ....

Mae -**en** yn dangos bod enw unigol yn **fenywaidd**, fel arfer – ond nid bachgen! Ac mae -**yn** yn dangos bod enw unigol yn **wrywaidd**.

Rhowch ansoddair ar ôl pob un o'r enwau unigol y byddwch chi wedi'u hysgrifennu uchod er mwyn dangos ydyn nhw'n enwau benywaidd neu'n enwau gwrywaidd.

Rhestr wirio

Dw i'n gallu...

defnyddio ffurfiau lluosog amrywiol.	
siarad am fwyd a choginio.	

Uned 13 – Byw heb...

Nod yr uned hon yw...

- Adolygu arddodiaid
- Siarad am bobl sy'n byw heb rywbeth
- Dysgu geirfa ac idiomau newydd

Geirfa

cyfnod	*period (of time)*
Y Grawys	*Lent*

bachu	*to grab, to hook*
heidio	*to swarm*
mynnu	*to insist*
rhuthro	*to rush*

adnabyddus	*well-known*
caeth (i)	*captive; addicted (to)*
dibwys	*unimportant, trivial*
llyfn	*smooth*

trydarwr brwd	*a keen twitterer* (rhywun sy'n defnyddio Twitter yn aml)
yn bendant	*definitely*

Geiriau pwysig i fi

× ....

× ....

× ....

× ....

Adolygu'r unigol a'r lluosog

Llenwch y bylchau ag enw unigol neu luosog addas. Fallai bydd angen treiglo weithiau.

1. Mae .... bost y pentref ar agor ar ddydd Mawrth a dydd Iau.
2. Mae nifer o .... post wedi cau dros y pum mlynedd diwethaf.
3. Bydd yr ysgol ar gau ddydd Llun nesaf oherwydd bod yr .... ar streic.
4. Does dim llawer o .... da ar y teledu y dyddiau 'ma.
5. Mae miloedd o bobl yn heidio i Eryri bob penwythnos yn yr haf i ddringo'r Wyddfa a .... eraill.
6. Cofiwch gloi'r .... i gyd wrth i chi adael y tŷ.
7. Mae cwmni adeiladu Cartref Clyd wedi cael caniatâd i godi hanner cant o .... newydd yn y pentref.
8. 'Dyn ni'n prynu gormod o .... parod o'r archfarchnad yn lle coginio ein bwyd ein hunain.
9. Dw i'n hoff iawn o liwiau'r hydref pan fydd y .... ar y .... yn newid eu lliw.
10. Aeth fy ffrind â fi allan ar ei gwch i bysgota ddoe, ond dim ond un .... ddaliais i drwy'r dydd.

Darllen

Allwn i byth fyw heb... Addasiad o erthygl ar wefan *BBC Cymru Fyw*

Mae dewis mynd heb rywbeth am **gyfnod** yn rhywbeth mae llawer o bobl yn ei wneud. Yn ystod mis Ramadan, dyw Moslemiaid ddim yn bwyta yn ystod golau dydd. Hefyd, mae nifer o bobl yn cadw at draddodiad Cristnogol **y Grawys** ac yn rhoi'r gorau i fwyta neu yfed rhywbeth am y deugain diwrnod cyn y Pasg. Ond oes rhai pethau na allech chi fyw hebddyn nhw, hyd yn oed am gyfnod byr?

Gofynnodd *Cymru Fyw* i rai o'n sêr **adnabyddus** beth basen nhw'n methu byw hebddo:

Mae Rhodri Owen yn gyflwynydd ar raglenni *Prynhawn Da* a *Heno* a basai'n anodd iawn iddo fyw heb ei goffi cryf bob bore.

"Byddwn i'n methu byw heb fy *double espresso* yn y bore. Dw i'n cael un bob bore a dw i'n berson hapusach ar ôl ei yfed. Dw i'n trio cadw'n ffit ar y foment a ges i gyngor gyda rhywun i roi lan y *lattes*, felly droiais i at yr *espresso*.

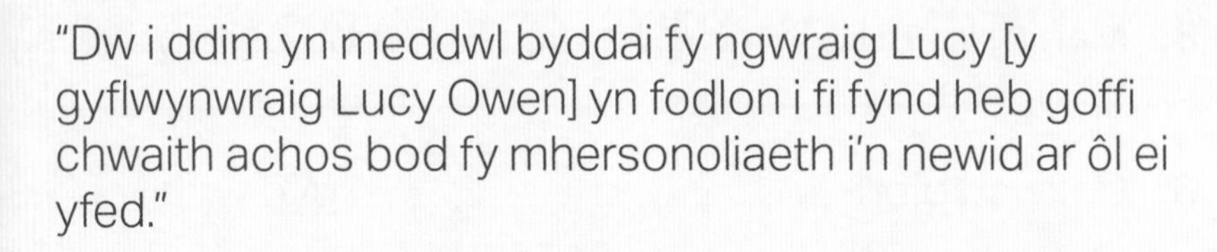

"Dw i ddim yn meddwl byddai fy ngwraig Lucy [y gyflwynwraig Lucy Owen] yn fodlon i fi fynd heb goffi chwaith achos bod fy mhersonoliaeth i'n newid ar ôl ei yfed."

"Allwn i byth fyw heb fy *Moroccan Oil conditioner*! Mae'n 'neud i 'ngwallt i edrych a theimlo'n **llyfn** ac mae'n gwynto'n lyfli!" meddai Eleri Siôn, sy'n cyflwyno rhaglen bob prynhawn ar BBC Radio Wales.

Os ydych chi'n dilyn y comedïwr Tudur Owen ar *Twitter*, byddwch chi'n gwybod ei fod yn **drydarwr brwd** ac mae'n cyfaddef na fasai'n gallu byw heb ei ffôn.

"Dw i'n hollol **gaeth** i dechnoleg a gwefannau cymdeithasol. Mi ges i **gyfnod** o fod yn styc yn y tŷ ar ôl cael anaf yn sgïo. Y ffôn oedd yr unig beth oedd yn fy nghadw i mewn cysylltiad â gweddill y byd. Dw i'n ei ddefnyddio ar gyfer ebostio, tecstio a hefyd o ran fy ngwaith."

"Mae comedïwyr yn rhannu syniadau dros Twitter. Mae 'na hen ochr **ddibwys** iddo fo, fel darllen be' ma' pobl 'di gael i frecwast, ond mae 'na ochr ddefnyddiol a faswn i ddim yn gallu byw hebddo."

1. Basai Rhodri Owen, Eleri Siôn a Tudur Owen yn methu byw heb rywbeth. Beth?

Rhodri Owen	
Eleri Siôn	
Tudur Owen	

2. Mae'r sêr yn dweud yr isod mewn ffordd wahanol, gan fenthyg o'r Saesneg. Pa eiriau maen nhw'n eu defnyddio?

   i. rhoi'r gorau i...

   ii. arogli'n hyfryd

   iii. bod yn gaeth i'r tŷ

3. Mae'r arddodiad **heb** yn rhedeg pan fydd yn cael ei ddefnyddio gyda rhagenwau. Mae **hebddo (fe)** yn cael ei ddefnyddio yn y darn uchod. Ysgrifennwch y ffurfiau ar gyfer y rhagenwau eraill:

   i

   .... ti

   hebddo fe

   .... hi

   .... ni

   .... chi

   .... nhw

Siaradwch

- Allech chi fyw heb...?
- Pa mor anodd fasai hi i chi fyw heb...?
- Am faint gallech chi fyw heb...?
- Sut basech chi'n teimlo tasai rhaid i chi fyw heb...?

Nodwch gyda sgôr o 0-5 pa mor anodd fasai hi i chi fyw heb y canlynol am gyfnod (0 = dim trafferth o gwbl, 5 = allwn i byth fyw heb...) ac wedyn trafodwch eich atebion:

coffi	siocled
ffôn symudol	trydan
teledu	sliperi
car	radio
sychwr gwallt	gardd
llyfrau	cyfrifiadur

Oes un peth basai'n anodd i chi i gyd fyw hebddo?

Gwrando

Byddwch chi'n clywed Siân ac Eifion yn cwrdd â'i gilydd ac yn mynd i gaffi.

1. Yn gyntaf, gwrandewch am: **mynnu, melys, yn bendant, cliriach, cyflawni, rhuthro**. Dych chi'n deall y geiriau hyn?

2. Pa un o'r ddau dych chi'n meddwl sy:
   i. fwya prysur
   ii. â'r deiet mwya iachus
   iii. yn gweithio fwya
   iv. fwya trefnus
   v. yn cyflawni fwya
   vi. hapusa

3. Gwrandewch am yr ymadroddion sydd ar y chwith isod yn y sgwrs. Cysylltwch nhw â'r ymadrodd ar y dde sydd â'r un ystyr:

a. yn fishi ofnadw	cacen yr un
b. cael coffi bach clou	gwneud cyfres o wahanol bethau
c. bachu'r ford 'na	yn brysur iawn
ch. bobo gacen	sicrhau bwrdd yn y caffi
d. mynd o un peth i'r llall	coffi sydyn

Siaradwch

Dych chi wedi gwneud ymdrech arbennig rywbryd i fyw heb rywbeth am gyfnod neu i roi'r gorau i rywbeth yn barhaol, neu dych chi'n nabod rhywun arall sy wedi gwneud hynny? Sut hwyl gawsoch chi/gawson nhw?

Adolygu arddodiaid

Cofiwch fod arddodiaid yn cael eu cysylltu â berfenwau i greu ymadroddion sydd ag ystyr benodol. Mae'r tabl isod yn cynnwys enghreifftiau o arddodiaid a rhai o'r berfenwau maen nhw'n cysylltu â nhw.

Yn y golofn gyntaf, rhowch ragor o enghreifftiau o ferfau sy'n cysylltu â'r gwahanol arddodiaid a llenwch y bylchau yn y tabl sy'n dangos sut mae'r arddodiaid yn rhedeg gyda rhagenwau.

â cwrdd â ymweld â	â fi	â ti	â fe	â hi	â ni	â chi	â nhw
***am** siarad am becso/poeni am	amdana i	amdanat ti			amdanon ni		
ar edrych ar gwenu ar			arno fe				arnyn nhw
at cofio at pwyntio at		atat ti				atoch chi	
i gofyn i diolch i	i fi						iddyn nhw
***wrth** ymddiheuro wrth sôn wrth		wrthot ti		wrthi hi			

*Cofiwch ein bod ni'n dweud **wrth** rywun **am** wneud rhywbeth.

Ymarfer

Newidiwch yr enwau, ac atebwch gyda rhagenwau:

e.e. Oedd e'n gweiddi ar Bob? — Oedd, roedd e'n gweiddi arno fe.

Oedd hi'n chwilio am ei chwaer? — Oedd, roedd hi'n chwilio .... hi.

Ofynnaist ti i'r athrawes? — Do, gofynnais i ....

Edrychaist ti ar y papur? — Do, edrychais i ......

Redodd e at ei wraig? — Do, rhedodd e .....

Wyt ti wedi dweud wrth y plant? — Ydw, dw i wedi dweud ...

Ydw i'n gallu ymddiried yn Huw? — Wyt. Rwyt ti'n gallu ymddiried ....

Llenwch y bylchau ag arddodiaid:

1. Pryd rwyt ti'n mynd i ddweud .... nhw beth ddigwyddodd?
2. Rhaid i chi ysgrifennu .... y bardd buddugol i ddweud .... fe .... fod yn y pafiliwn cyn pedwar o'r gloch.
3. Chwythodd y dyfarnwr ei chwiban a phwyntio .... y smotyn.
4. Cwrddais i ....fe neithiwr – roedd e'n gyfeillgar iawn ac yn barod iawn i siarad .... phawb.
5. Dw i wastad wedi breuddwydio .... fyw ar arfordir gyda golygfa hyfryd dros y môr.
6. Bues i'n chwilio .... nhw am oriau.
7. Gofynnwch .... fe oes prydau llysieuol ar y fwydlen.
8. Doedd Mrs Evans ddim yn athrawes boblogaidd iawn – roedd hi'n gweiddi .... y plant drwy'r amser.
9. O't ti wedi sylwi .... y newidiadau yn yr ardd?
10. Cofia fi .... nhw pan fyddi di'n ymweld .... nhw wythnos nesa.

Rhestr wirio
Dw i'n gallu...

defnyddio berfau sy'n cael eu dilyn gan arddodiaid.	
siarad am fyw heb rywbeth.	

Uned – 14 Ffasiwn

Nod yr uned hon yw...

- Defnyddio arddodiaid cyfansawdd (e.e. ar ôl, o flaen)
- Siarad am ddillad, siopa a ffasiwn
- Dysgu geirfa ac idiomau newydd

Geirfa

cred(oau)	*belief(s)*
elfen(nau)	*element(s)*
haen(au)	*layer(s)*
hogan (genod)	*girl(s)* (gogleddCymru)
sêl frenhinol	*royal seal*
sidan	*silk*
stryd fawr	*high street*

arbrofi	*to experiment*
britho	*to go grey, to dapple, to fleck, to mottle*
coelio	*to believe* (gogledd Cymru fel arfer)
cychwyn	*to start*
cynhyrchu	*to produce*
gwau	*to knit*
ysgafnhau	*to lighten*

catrawd (catrodau)	*regiment(s)*
colur	*make-up*
cymar	*partner, companion*
cyndaid (cyndeidiau)	*forbear(s)*
dilynwr(-wyr)	*follower(s)*
dillad isaf	*underwear*
gwallt gosod	*wig*
henaint	*old age*
plwm	*lead*
sylw	*attention*
tecstil(au)	*textile(s)*

anferthol	*huge, momentous*
awyddus	*keen*
crefftus	*skilled*
hyderus	*confident*
llac	*loose*
pigog	*spiky*

cymryd yr awenau	*to take the reins*
hyd braich	*at arm's length*
yn eu plith	*amongst them*

Geiriau pwysig i fi

....
× ×
....
× ×
....

Adolygu Arddodiaid

Cwestiwn	Person 1	Person 2	Person 3
O ble dych chi'n dod yn wreiddiol?			
Ar ba raglenni radio dych chi'n hoffi gwrando?			
I ble dych chi'n hoffi mynd am dro?			
At bwy dych chi'n anfon ebyst?			
Gan bwy dych chi wedi cael cyngor da?			
Dros bwy dych chi wedi pleidleisio mewn rhaglen realaeth?			
Drwy ebost neu drwy'r post dych chi'n hoffi cael gwybodaeth?			
Am beth dych chi'n siarad pan fyddwch chi yn y siop trin gwallt?			
O ble dych chi'n prynu eich dillad fel arfer?			

Geirfa - Dillad

Nodwch unrhyw eirfa newydd fan hyn.

Gwylio a gwrando — *O Gymru Fach*

Byddwch chi'n gwylio fideo o Steffan Rhodri yn ymweld â ffatri ddillad Corgi yn Rhydaman.

1. Rhowch gylch o gwmpas y geiriau hyn pan fyddwch chi'n eu clywed nhw:

cynhyrchu	**tecstilau**	**sêl frenhinol**	**cyndeidiau**	**awyddus**
hyderus	**gwlân**	**catrodau**	**gwau**	**crefftus**

2. Gyda'ch partner, trafodwch y geiriau isod ac esboniwch pam mae'r geiriau hyn yn codi yn y darn.

   cenhedlaeth
   John Rees Jones
   Sir Benfro
   10 awr

3. Enwch bedair gwlad sy'n mewnforio cynnyrch Corgi.

4. Cysylltwch yr idiom isod â'r diffiniad cywir:

yn eu plith	**dod yn rheolwr/arweinydd**
pedwar ban y byd	**yn eu canol nhw**
cymryd yr awenau	**dros y byd i gyd**

Mae'r cyflwynydd yn dweud, "...**o'n cwmpas ni** mae 'na hen luniau" wrth siarad â Lisa Wood. Mae **o'n cwmpas ni** yn **arddodiad cyfansawdd**, sef arddodiad mewn dwy ran. Mae rhagor o enghreifftiau ar y dudalen nesa.

Ar ei hôl hi!

Ar ei hôl hi! Ar ei hôl hi!

Mae mwd o'n cwmpas ni ym mhob man!

Peidiwch â thorri ar fy nhraws i pan dw i'n siarad â chi!

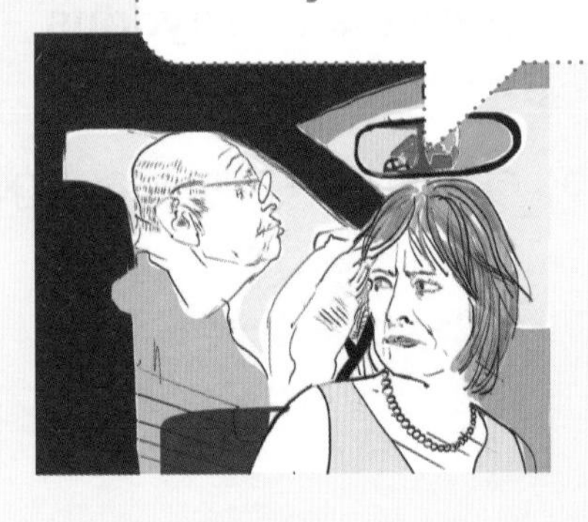
Gad iddo fe fynd o dy flaen di.

Oes lle i fi eistedd wrth eich ochr chi?

O na! Edrycha beth sydd uwch ein pen ni!

Mae popeth o'i phlaid hi. Dw i'n siŵr taw hi sy'n mynd i ennill y ras!

Edrychwch ar y lluniau eto a newidiwch berson yr arddodiaid. Mae'r cyntaf wedi ei wneud i chi.

1. (fe) Ar ei ôl e! Ar ei ôl e!
2. (ti) ....
3. (hi) ....
4. (ni) ....
5. (chi) ....
6. (nhw) ....
7. (fi) ....

Ar gyfer

Mae e wedi gwneud siwt ar fy nghyfer i
Mae e wedi gwneud siaced .... di.
Mae e wedi gwneud siwt .... y priodfab.
Mae e wedi gwneud ffrog .... y briodferch.
Mae e wedi gwneud gwasgod .... e.
Mae e wedi gwneud ffrog .... hi.
Mae e wedi gwneud siwtiau .... ni.
Mae e wedi gwneud siwtiau .... chi.
Mae e wedi gwneud siwtiau .... nhw.

Help llaw

Gyda rhai arddodiaid cyfansawdd, mae'n rhaid gwybod beth yw'r gair gwreiddiol sy'n dilyn yr arddodiad er mwyn treiglo'n gywir.

pwys > ar bwys	traws > ar draws	cyfer > ar gyfer
ar fy mhwys i ar dy bwys di ar ei bwys e ar ei phwys hi ar ein pwys ni ar eich pwys chi ar eu pwys nhw	ar fy nhraws i ar dy draws di ar ei draws e ar ei thraws hi ar ein traws ni ar eich traws chi ar eu traws nhw	ar fy nghyfer i ar dy gyfer di ar ei gyfer e ar ei chyfer hi ar ein cyfer ni ar eich cyfer chi ar eu cyfer nhw

- Gydag **o flaen** (blaen), **o gwmpas** (cwmpas) ac **o blaid** (plaid), rhaid i ni fod yn ofalus gyda'r cwtogiadau (*contractions*) ar ôl **o** hefyd. Er enghraifft: **o fy mlaen i / o dy flaen di / o'i flaen e /o'i blaen hi / o'n blaen ni /o'ch blaen chi / o'u blaen nhw.**

- Mae **uwchben**, **ynghylch** ac **ymhlith** yn rhannu'n ddwy ran (uwch + pen) ac (yn + cylch). Er enghraifft, **uwch fy mhen, yn fy nghylch, yn ein plith.**

- Cofiwch, gyda **tu** mae eisiau **y** o'i flaen ac **i** ar ei ôl e. Er enghraifft, **y tu ôl i'r gadair**, **y tu allan i'r dref**, **y tu mewn i'r adeilad**, **y tu hwnt i Gymru**.

- Hefyd, mae hi'n bosib defnyddio ffurfiau lluosog **blaen (blaenau)** a **pen (pennau)** gyda **ni, nhw**, a **chi** (lluosog) er enghraifft:
ar ein pennau ni, ar eich pennau chi, ar eu pennau nhw; o'n blaenau ni, o'ch blaenau chi, o'u blaenau nhw.

Gyda'ch partner, ysgrifennwch dair brawddeg yn defnyddio **tri o'r arddodiaid cyfansawdd:**

1. ....

....

2. ....

....

3. ....

....

Cwis – Y Gwir, yr Holl Wir a'r Gwir yn Unig – Byd Ffasiwn

Geirfa:
colur **dillad isaf** **gwallt gosod** **pigog**

Mae rhai o'r ffeithiau hyn yn wir, a rhai ohonyn nhw'n gelwyddau! Penderfynwch pa ffeithiau sy'n wir.

1. Cafodd yr hetiau Cymreig cyntaf eu gwneud o flew ceffylau du.
2. Yn oes y Frenhines Elisabeth I, roedd pobl yn mynd yn sâl achos eu bod nhw'n gwisgo **colur** wedi ei wneud o **blwm**.
3. Yn 2016, cafodd un o ffrogiau Marilyn Monroe ei gwerthu am 4.8 miliwn o ddoleri.
4. Roedd y Frenhines Victoria yn gwrthod gwisgo **dillad isaf** cotwm. Roedd yn rhaid iddi gael dillad isaf **sidan** bob amser.
5. Mae lycra yn cael ei wneud o fandiau lastig wedi eu hailgylchu.
6. Y defnydd druta yn y byd yw gwlân y ddafad vucana o Beriw.
7. Yn yr Hen Aifft, roedd dynion a menywod yn gwisgo colur a **gwallt gosod**.
8. Yn y 1920au roedd y gantores jazz Vera Louise yn enwog am wisgo cot o ffwr llygod bach.
9. Mae UDA yn gwario mwy ar ddillad nag unrhyw wlad arall yn y byd.
10. Roedd gwallt milwyr Celtaidd yn wyn ac yn **bigog**.

Nodwch enwau neu ferfau i fynd gyda'r geiriau isod. Cofiwch fod **het, ffrog a chot** yn **enwau benywaidd.** Mae rhai enghreifftiau yno i chi.

het	ffrog	dillad	gwallt	cot
	ffrog briodas		gwallt gosod	cot law

Gwrando – Gwallt

Geirfa:

britho	**cymar**	**elfen**	**henaint**	**hyd braich**
cred	**hogan**	**sylw**	**coelio**	**cychwyn**

Byddwch chi'n gwrando ar bedwar person yn siarad am eu gwallt, sef **Bethan Mair**, **Owain Jones**, **Sara Manchipp** a **Sonia Kaur**.

Gwnewch nodiadau wrth wrando ar bob clip sain. Yna, bydd eich tiwtor yn eich rhannu chi'n grwpiau. Bydd pob grŵp yn canolbwyntio ar un clip, ac yn meddwl am ddau gwestiwn i'w gofyn i weddill y dosbarth am y clip.

Rhestr wirio

Dw i'n gallu...

defnyddio arddodiaid cyfansawdd.	
siarad am ddillad a ffasiwn.	

Uned 15 – Amser

Nod yr uned hon yw...
- Ymarfer defnyddio rhifolion
- Siarad am amser hamdden
- Dysgu geirfa ac idiomau newydd

Geirfa

cyfrifiadureg	*computer science*
gyrfa(oedd)	*career(s)*
rhoces(i)	*girl(s)* (yn sir Benfro)

aberthu	*to sacrifice*
cludo	*to carry, to transport*
cyhoeddi	*to announce, to publish*
darlledu	*to broadcast*
ymgynnull	*to assemble, to congregate*

calennig	anrhegion i groesawu'r flwyddyn newydd
crynodeb(au)	*summary (summaries)*
cynhyrchydd (-wyr)	*producer(s)*
darlledwr (-wyr)	*broadcaster(s)*
Gweinidog Addysg	*Education Minister*
sylwebydd (sylwebwyr)	*commentator(s)*
tamaid (tameidiau)	*bit(s), bite(s), morsel(s)*

clòs	*close, warm*

Hir oes!	*A long life!* (fel 'Iechyd da!')
hyd yn hyn	*so far*
tra hynod	*very notable / peculiar / extraordinary*
yr arddegau	*the teenage years*

Geiriau pwysig i fi

× .... × ....

× .... × ....

Llenwch y bylchau – dilynwch yr enghraifft:

Mae Rhys yn ddwy ar bymtheg oed.	Deunaw y flwyddyn nesa!
Mae Nia'n ugain oed.	.... y flwyddyn nesa!
Mae Mali'n dri deg naw.	.... y flwyddyn nesa!
Mae Gethin yn bum deg naw.	.... y flwyddyn nesa!
Mae Gwilym yn saith deg naw.	.... y flwyddyn nesa!
Mae Efa yn naw deg naw.	.... y flwyddyn nesa!

Help llaw – Rhifolion

1 un + Tr. Meddal os yw'r enw'n fenywaidd	**11** un ar ddeg	**21** un ar hugain	**31** un ar ddeg ar hugain
2 dau + Tr. Meddal / dwy + Tr. Meddal	**12** deuddeg	**22** dau / dwy ar hugain	**40** deugain
3 tri + Tr. Llaes / tair	**13** tri / tair ar ddeg	**23** tri / tair ar hugain	**50** hanner cant
4 pedwar / pedair	**14** pedwar / pedair ar ddeg	**24** pedwar / pedair ar hugain	**60** trigain
5 pump (pum cyn enw)	**15** pymtheg	**25** pump ar hugain	**70** deg a thrigain
6 chwech (chwe cyn enw + Tr. Llaes)	**16** un ar bymtheg	**26** chwech ar hugain	**80** pedwar ugain
7 saith	**17** dau / dwy ar bymtheg	**27** saith ar hugain	**90** deg a phedwar ugain
8 wyth	**18** deunaw	**28** wyth ar hugain	**100** cant
9 naw	**19** pedwar / pedair ar bymtheg	**29** naw ar hugain	Fel arfer, 'dyn ni'n defnyddio'r dull modern gyda rhifau dros 31 sydd ddim yn gorffen gyda 0, e.e. pedwar deg un, pum deg dau, chwe deg tri, saith deg pedwar.
10 deg	**20** ugain	**30** deg ar hugain	
Os oes enw gyda'r rhif, mae'n dod ar ôl yr elfen gyntaf, e.e.: 13 diwrnod = tri diwrnod ar ddeg 8:27 = saith munud ar hugain wedi wyth			

Ysgrifennwch yr amseroedd yn llawn, gan ddefnyddio'r rhifau traddodiadol:

12:28	....	**8:19**	....
4:40	....	**11:16**	....
9:47	....	**10:18**	....
3:35	....	**2:13**	....

Newidiwch y brawddegau hyn gan ddefnyddio rhifolion traddodiadol yn lle rhifolion modern:

1. Mae'r un deg un chwaraewr yn iach ar gyfer y gêm heno.

   ....

2. Cododd hi am ddau ddeg chwe munud wedi wyth y bore 'ma.

   ....

3. Erbyn hyn, dim ond un deg tri o blant sydd yn yr ysgol.

   ....

4. Mae hi'n edrych ymlaen at ddathlu ei phen-blwydd yn un deg wyth yn yr haf.

   ....

5. Dim ond un deg saith milltir yw'r daith gerdded eleni.

   ....

6. Maen nhw'n dathlu eu pen-blwydd priodas arian eleni – dau ddeg pum mlynedd!

   ....

Gwrando – Bwletin Newyddion

Geirfa: **crynodeb** **cyhoeddi** **Gweinidog Addysg** **cyfrifiadureg**
cludo **darlledu** **ymgynnull** **hyd yn hyn**

1. Rhowch gylch o gwmpas y geiriau uchod pan fyddwch chi'n eu clywed nhw.

2. Atebwch y cwestiynau hyn am y bwletin newyddion.

   i. Beth fydd yn digwydd yn y ganolfan dechnoleg newydd yn Abertawe?

   ....

   ii. Beth achosodd y ddamwain?

   ....

   iii. Pa fath o gêm sy'n digwydd yn Madrid heno?

   ....

   iv. Sut bydd y ras yn helpu'r gymuned leol?

   ....

3. Bydd eich tiwtor yn rhoi copi o sgript y bwletin i chi. Llenwch y bylchau yn y sgript â'r rhifau cywir.

4. Meddyliwch am y gair **ymgynnull**, sydd yn y stori newyddion olaf. Allwch chi feddwl am eiriau eraill sy'n dechrau gydag **ym**-? Nodwch nhw fan hyn.

Darllen - Iaith y rhifau

(Addasiad o erthygl yn *BBC Cymru Fyw*)

Geirfa:
aberthu **sylwebydd** **darlledwr** **arddegau** **newyddiadurwr**

Sut basech chi'n darllen y ffigwr 18 ar lafar – 'deunaw' neu 'un deg wyth'? Beth am 37 – 'dau ar bymtheg ar hugain' neu 'tri deg saith'?

Mae'n debyg mai blaenoriaeth ysgolion Cymru ydy cael plant i ddefnyddio rhifau'n iawn, yn hytrach na'u dysgu i ddweud rhifau mewn ffordd arbennig. Ond oes peryg ein bod ni'n **aberthu** ein traddodiadau am ein bod ni'n chwilio am ffyrdd haws o ddweud rhifau?

Cyfoeth iaith

Roedd John Ifans yn **sylwebydd** chwaraeon i'r BBC, ac mae'n credu bod lle i ddefnyddio'r hen ddull traddodiadol yn y cyfryngau.

"Pan oeddwn i'n sylwebu ar griced a snwcer yn y 60au a'r 70au doedd dim problem o gwbl. Pan oedd chwaraewr snwcer ar ganol rhediad, roedd e'n saith ar bedwar ugain yn aml iawn. Yn Nhregaron, ble ro'n i'n byw, *thirty-seven* oedd e'n aml iawn yn yr 1940au a'r 50au - fyddai neb byth yn dweud tri deg saith, heb sôn am ddau ar bymtheg ar hugain. Ond beth yw rôl y **darlledwr**? Gwneud pwynt o'n i fod cyfoeth iaith i'w gael 'da ni."

Iaith sy'n hawdd ei deall

Roedd Aled Glynne Davies yn gweithio i Radio Cymru ac yn credu bod rhaid gwneud y newyddion yn ddealladwy i gynifer o bobl â phosib.

"Mi ddechreuodd pan o'n i yn fy **arddegau**. Roedd newyddion radio yn Gymraeg ac yn Saesneg o gwmpas yr un o'r gloch. Roedd hyn cyn dyddiau Radio Cymru. A dw i'n cofio'n iawn - er mai Cymraeg oedd fy iaith gynta' i, ro'n i'n dallt y bwletinau Saesneg yn well na'r bwletin Cymraeg. Dw i'n cofio penderfynu fy mod i isio bod yn **newyddiadurwr** – a baswn i wrth fy modd yn sgwennu newyddion mewn iaith roedd pawb yn ei dallt. Dydw i ddim yn credu y byddai llawer o bobl sy'n dathlu eu pen-blwydd yn dri deg saith yn deud yn y dafarn leol eu bod nhw'n ddwy ar bymtheg ar hugain mlwydd oed."

Siaradwch: Yn eich grwpiau, nodwch y tri phwynt pwysica sy'n codi yn yr erthygl.

1. Heb edrych yn ôl ar y darn darllen, ysgrifennwch ffurfiau lluosog y geiriau hyn:

rhif .... traddodiad .... ffordd ....
cyfrwng .... bwletin .... dydd ....

2. Mae John Ifans yn dod o Dregaron yn ne Cymru. Ysgrifennwch dri pheth yn ei baragraff sy'n dangos ei fod e'n dod o'r de:

....

Mae Aled Glynne Davies yn dod o'r Gogledd. Ysgrifennwch dri pheth o'i baragraff sy'n dangos ei fod e'n dod o'r gogledd:

....

Siaradwch

- Dych chi'n cytuno â John Ifans neu ag Aled Glynne Davies?
- Beth sy'n bwysig wrth ddysgu mathemateg i blant?
- Ddylai oedolion ddysgu'r rhifau traddodiadol o gwbl?
- Mae defnyddio rhifau yn Gymraeg wedi newid gydag amser. Dych chi'n gwybod am unrhyw beth arall sy wedi newid yn yr iaith?

Gwylio a gwrando – Yr Hen Galan

Geirfa:

Hen Galan	**Calennig**	**wedi bod erio'd**	**cymuned glós**
tra hynod	**rhoces**	**tamaid**	**Hir oes!**

Yn 1752, daeth newid mawr i fywydau pobl Prydain. Roedd rhaid iddyn nhw ddechrau defnyddio Calendr Gregori (*Gregorian Calendar*) yn lle'r Calendr Iwlaidd (*Julian Calendar*). Roedd llawer o bobl yn anhapus am hyn achos eu bod nhw'n colli 11 diwrnod o'r flwyddyn.

Mae pobl Cwm Gwaun yn sir Benfro yn parhau i ddathlu'r **Hen Galan**, sef 13 Ionawr. Hwn yw diwrnod cynta'r flwyddyn os dych chi'n dilyn y Calendr Iwlaidd.

Byddwch chi'n gwylio fideo o blant Cwm Gwaun yn dathlu'r Hen Galan trwy fynd o dŷ i dŷ yn canu **calennig**.

1. Rhowch gylch o gwmpas y geiriau uchod pan fyddwch chi'n eu clywed nhw.

2. Atebwch y cwestiynau hyn am y fideo

i. Faint o'r gloch dechreuon nhw ganu?

....

ii. Beth yw enw'r fferm mae'r plant yn ymweld â hi?

....

iii. Pwy sy'n byw yno?

....

iv. Beth yw'r **calennig** mae'r plant yn ei gael?

....

v. Gwrandewch ar y bachgen yn canu. Sut mae e'n dweud 13 Ionawr?

....

vi. Mae Bessie yn dweud ei bod hi wedi rhoi calennig i **22 o blant**. Bydd hi'n rhoi calennig i **40 o blant** cyn diwedd y dydd. Ysgrifennwch hyn yn y ffordd draddodiadol.

....

vii. Yn ôl Bessie, sut roedd yr Hen Galan yn wahanol o'r blaen?

....

Dych chi nawr yn gallu darllen y llyfr *Cyffesion Saesnes yng Nghymru* (Atebol). Dyma'r clawr a rhan o'r paragraff cynta. Ewch i'ch siop Gymraeg leol neu www.gwales.com.

Ro'n i'n siŵr iawn o gyfeiriad fy mywyd, nes torrodd y *sat nav* ... yn llythrennol. Ro'n i'n bump ar hugain oed, yn joio bywyd fel cynyrchydd teledu.

Rhestr wirio

Dw i'n gallu...

defnyddio rhifolion yn gywir.	
siarad am weithgareddau amser hamdden.	

Uned 16 – Y tro cynta!

Nod yr uned hon yw...
- Ymarfer defnyddio trefnolion
- Siarad am y tro cynta i chi (neu bobl eraill) wneud rhywbeth
- Dysgu geirfa ac idiomau newydd

Geirfa

adeg(au)	*period(s)* (amser)
ergyd(ion)	*blow(s)*

achlysur(on)	*occasion(s)*
corwynt(oedd)	*gale(s)*
cyfuniad(au)	*combination(s)*
gwrthrych(au)	*object(s)*
llythrennedd	*literacy*

arwain (at)	*to lead (to)*
dychwelyd (i rywle, at rywun)	*to return (to)*
dyddio	*to date*
ffynnu (ar)	*to thrive (on)*
ymwneud â	*to be concerned with*

arloesol	*pioneering*
clou	*cyflym* (de Cymru)
cyflogedig	*employed*
cyn-derfynol	*semi-final*
llafar	*oral*
sylfaenol	*basic*
unigryw	*unique*
ymarferol	*practical*

tridiau	*tri diwrnod*

Geiriau pwysig i fi

× ....
× ....
× ....
× ....

Y tro cynta!

Edrychwch ar y syniadau yn y blwch a dewiswch unrhyw **bump** ohonyn nhw i drafod eich profiad personol.

Y tro cynta i fi brynu record neu CD	Y tro cynta i fi gusanu rhywun
Y tro cynta i fi siarad Cymraeg y tu allan i'r dosbarth	Y tro cynta i fi brynu tŷ
Y tro cynta i fi ddarllen llyfr Cymraeg	Y tro cynta i fi brynu car
Y tro cynta i fi gael swydd	Y tro cynta i fi ysmygu
Y tro cynta i fi fynd i'r ysgol	Y tro cynta i fi symud tŷ

Trefnolion

Cyfieithwch:

The third result is promising.

....

There is also a second advantage.

....

Go to the fourth entrance on the left.

....

Welcome to the tenth championship!

....

What is the sixth planet from the sun?

....

I'll give you a second chance.

....

Atebwch:

Ar ba ddyddiad mae dydd Nadolig? ....

Ar ba ddyddiad mae dydd Santes Dwynwen? ....

Ar ba ddyddiad mae Calan Gaeaf? ....

Os yw dydd Gwener y Groglith ar yr unfed
ar bymtheg, pryd mae dydd Sul y Pasg? ....

Os yw'r cwrs tridiau'n dechrau ar y trydydd,
pryd mae'n gorffen? ....

Os ydyn ni'n mynd ar wyliau am wythnos ar y
deuddegfed, pryd byddwn ni'n dod adre? ....

Pa ganrif?

1282 ....y drydedd ganrif ar ddeg..........

1861 ....

1999 ....

1588 ....

2016 ....

Help llaw – Trefnolion

1 cynta(f)	11 unfed ar ddeg	21 unfed ar hugain	31 unfed ar ddeg ar hugain
2 ail	12 deuddegfed	22 ail ar hugain	40 deugeinfed
3 trydydd/trydedd	13 trydydd/trydedd ar ddeg	23 trydydd/trydedd ar hugain	50 hanner canfed
4 pedwerydd/ pedwaredd	14 pedwerydd/ pedwaredd ar ddeg	24 pedwerydd/ pedwaredd ar hugain	100 canfed
5 pumed	15 pymthegfed	25 pumed ar hugain	Os oes **enw** gyda'r trefnolyn, mae'n dod ar ôl yr **elfen gyntaf**, e.e.: yr unfed **chwaraewr** ar ddeg yr ail **ganrif** ar bymtheg
6 chweched	16 unfed ar bymtheg	26 chweched ar hugain	
7 seithfed	17 ail ar bymtheg	27 seithfed ar hugain	
8 wythfed	18 deunawfed	28 wythfed ar hugain	
9 nawfed	19 pedwerydd/ pedwaredd ar bymtheg	29 nawfed ar hugain	
10 degfed	20 ugeinfed	30 degfed ar hugain	

Edrychwch ar y patrwm treiglo:

y bachgen cynta — y **f**erch **g**ynta
yr ail **f**achgen — yr ail **f**erch
y trydydd bachgen — y **d**rydedd **f**erch
y pedwerydd bachgen — y **b**edwaredd **f**erch
y pumed bachgen — y **b**umed **f**erch

- Fel arfer, mae **treiglad meddal** ar ôl enw **benywaidd unigol**: y ferch gynta.
- Mae popeth yn treiglo ar ôl **ail**: ail **l**yfr, ail **f**antais.
- Mae'r trefnolyn **benywaidd** yn treiglo'n feddal ar ôl **y**: **y b**umed nofel, hi yw'r gyntaf.
- Mae **enw benywaidd** yn treiglo'n feddal yn dilyn **trefnolyn**: seithfed **f**lwyddyn, wythfed **w**ers.

Gwrando – Bwletin Newyddion Hanesyddol – Y Tro Cynta!

1. Rhowch gylch o gwmpas y geiriau isod pan fyddwch chi'n eu clywed nhw:

Geirfa: **achlysur** **ffynnu** **gwrthrych** **dyddio** **arloesol** **corwynt**

2. Llenwch y tabl

Ble? / Pwy?	Beth?

3. **Cyfieithwch:**

four hundred and fifty years ....

six pounds (£) ....

the eighteenth century ....

4. **Siaradwch** – Pa stori yn y bwletin yr hoffech chi wybod mwy amdani hi, a pham?

Darllen – Gadael y nyth am y tro cynta

Mae miloedd o bobl ifanc yn gadael eu cartrefi i fynd i'r brifysgol am y tro cynta bob mis Medi. I'r myfyrwyr, mae'n ddechrau newydd, ond i'r rhieni, mae'n ddiwedd cyfnod.

Profiad dwy fam

Mae mab Elin Maher yn mynd i Brifysgol Guilford:

"Fel mam, sydd â'i phlentyn yn mynd am y tro cynta, dw i'n teimlo'n gymysg am y peth. Dyw hwn ddim yn rhywbeth unigryw i fi ond dyma'r tro cynta i fi a phan mae'n dro cynta i rywun, mae'n teimlo'n fwy o beth. Bydda i'n hiraethu, ond beth sy bwysica yw gwbod bod Rhys yn mynd i 'neud rhywbeth mae e'n mo'yn 'neud, y bydd e'n hapus, a bydd yn ddechre newydd iddo fe. Mae'r teimlad yna'n gryfach na'r hiraeth. Fydda i ddim yn eistedd gartre yn llefen y glaw. Dw i'n meddwl 'nôl i fy nyddiau coleg i, roedd rhaid ciwio i ffonio, ond mae technoleg gyda ni erbyn hyn, tecstio, *Facetime*, *Skype*. Dw i'n siŵr y bydd ambell i decst yn dod i gadw Mam yn hapus!"

Mae Sharon Laban o Bontypridd yn fam i ddau sy wedi gadael y nyth.

"Aeth Tomos i'r coleg yn Aberystwyth. Dw i'n cofio ei adael e, ro'n i'n gyffrous drosto ond ro'n i'n poeni tipyn hefyd. Roedd yn dod 'nôl ag atgofion o fy mam a fy nhad yn fy ngadael i ym Mhontypridd pan es i i'r coleg. Do'n i ddim mor *upset* â hynny, achos roedd Rhiannon yn dal i fod gyda ni, ond ro'n ni i gyd yn ei golli fe, wrth gwrs. Fe wnaethon ni addasu ac ymdopi'n weddol glou, ond pan aeth Rhiannon i Lundain, hi oedd y plentyn ola i adael y nyth, roedd hynny'n fwy o ergyd.

Wrth gwrs roedd e'n newid byd i ni fel rhieni... llai o waith siopa a llai o olch, ond dw i'n credu ei bod hi'n bwysig i ŵr a gwraig gael digon o ddiddordebau fel bod bywyd yn parhau ar ôl i'r plant adael.

Fel rhiant, rwyt ti'n trial paratoi dy blant i allu sefyll ar eu traed eu hunain. Dw i'n credu ei bod hi'n bwysig dysgu sgiliau sylfaenol iddyn nhw, fel sut i agor cyfrif banc a choginio bwyd syml fel *scrambled eggs* a *chilli*. Ro'n i'n gwybod wedyn fod y ddau yn ddigon abl i ofalu amdanyn nhw eu hunain."

(Addasiad o erthygl ar wefan *BBC Cymru Fyw*)

Ar ôl darllen y darn:

1. Trafodwch â'ch partner **dri** pheth mae Elin yn eu teimlo am ei mab yn mynd i ffwrdd.

   i. ....

   ii. ....

   iii. ....

2. I ble aeth plant Sharon a sut ceisiodd hi eu helpu i ymdopi?

....

....

....

3. Pa eiriau yn y darn sy'n dangos taw o dde Cymru mae Elin a Sharon yn dod?

Siaradwch

Dych chi'n cofio gadael y nyth am y tro cynta, neu oes plant gyda chi, gan deulu neu gan ffrindiau, sy wedi gadael y nyth?

Gwylio a gwrando – Mynd dramor am y tro cynta

Gwrandewch ar Hannah, Gareth ac Efa yn sôn am y tro cynta iddyn nhw fynd dramor a llenwch y tabl:

Enw	Ble?	Pryd?	Un ffaith am y profiad
Hannah			
Gareth			
Efa			

Siaradwch

- Dych chi'n cofio eich taith gynta dramor? Trafodwch y profiad.
- Sut mae teithio dramor wedi newid ers pan oedd eich rhieni chi'n ifanc?

Rhestr wirio
Dw i'n gallu...

defnyddio rhifolion yn gywir.	
siarad am bethau a wnes i am y tro cynta neu am bethau a ddigwyddodd am y tro cynta.	

Uned 17 – Trefnu Taith

Nod yr uned hon yw...

- Adolygu
- Trefnu taith
- Dysgu geirfa ac idiomau newydd

Geirfa

cyfradd(au) llog	*interest rate(s)*
daeargryn(feydd)	*earthquake(s)*
ymerodraeth(au)	*empire(s)*

arbed	*to save*

cynefin(oedd)	*habitat(s)/home area(s)*
llefarydd (-wyr)	*spokesperson(s)*
plwyf(i)	*parish(es)*
trawiad (ar y galon)	*heart attack*
y Chwyldro Diwydiannol	*the Industrial Revolution*

elusennol	*charitable*
hanesyddol	*historical*
Rhufeinig	*Roman*

Geiriau pwysig i fi

×

×

×

×

Adolygu

Defnyddiwch yr ymadroddion hyn i aralleirio'r brawddegau isod:

bwrw golwg dros	**bai ar gam**	**galw mawr**	**tridiau**
o ddrwg i waeth	**torri ar ei draws e**	**gorau po gynta**	**yn ystod**
hyd yn hyn	**yn eich plith chi**		

1. Roedd e'n meddwl taw fi wnaeth y llanast, ond ro'n i'n ddieuog.

   Nid fi wnaeth y llanast; ces i ....

2. Cyrhaeddodd hi ddydd Mawrth ac mae hi'n ddydd Gwener nawr.

   Mae hi yma ers ....

3. Mae llawer o gyflogwyr yn chwilio am bobl sydd â sgiliau technoleg gwybodaeth da.

   Mae .... am weithwyr sydd â sgiliau technoleg gwybodaeth da.

4. Wnei di ddarllen drwy fy ffurflen gais a dweud beth wyt ti'n feddwl?

   Wnei di .... fy ffurflen gais a dweud beth wyt ti'n feddwl?

5. Cer mor gynnar â phosibl rhag ofn i ti gael dy ddal yn y traffig.

   .... yr ei di er mwyn osgoi'r traffig.

6. Mae angen i chi fynd i'r swyddfa heddiw – mae hi ar agor trwy'r bore a'r prynhawn.

   Rhaid i chi fynd i'r swyddfa rywbryd .... y dydd.

7. Mae pobl wedi rhoi £5,000 i Blant Mewn Angen ac mae rhagor i ddod.

   'Dyn ni wedi casglu £5,000 i Blant Mewn Angen ....

8. Doedd y tîm ddim wedi chwarae'n dda yn yr hanner cynta, ond ro'n nhw'n ofnadwy yn yr ail hanner.

   Aeth perfformiad y tîm .... ar ôl yr egwyl.

9. Gadewch iddo fe orffen siarad cyn i chi ddweud rhywbeth!

   Peidiwch â .... !

10. Dw i'n gwybod bod rhai ohonoch chi'n chwarae pêl-droed.

    Dw i'n gwybod bod pêl-droedwyr ....

Arddodiaid cyfansawdd (e.e. ar ôl, uwchben)

Rhowch ffurfiau cywir yr arddodiaid yn y bylchau.

1. Mae hiliaeth .... ni ym mhob man. (o gwmpas)
2. Bydd adloniant .... chi gyda'r nos. (ar gyfer)
3. Roedd e'n torri .... hi drwy'r amser. (ar draws)
4. Mae'r bobl adnabyddus i gyd .... e. (o blaid)
5. Dim ond henaint sy .... i erbyn hyn. (o flaen)
6. Mae pobl swnllyd yn y fflat .... ni. (uwchben)

Cymharu ansoddeiriau

Cyfieithwch:

1. *The gales will be as strong as the gales of 1987.*

   ....

2. *The standard of care must be higher.*

   ....

3. *This generation is less wealthy than our generation.*

   ....

4. *This is the most interesting menu in the area.*

   ....

5. *He talks about the most trivial things.*

   ....

6. *Abercastell is the poorest village in the county.*

   ....

Geirfa

Byddwch chi'n gweld y geiriau **Rhufeinig** a **Rhufeiniaid** yn y darn darllen isod. Rhufeiniaid yw pobl Rhufain, neu'r bobl oedd yn perthyn i **Ymerodraeth Rhufain**. Fel arfer, mae'r enw am bobl sy'n dod o wlad neu genedl benodol yn gorffen gyda naill ai **-iaid** neu **-wyr**, mae'r ansoddair sy'n disgrifio rhywbeth sy'n perthyn i'r genedl honno yn gorffen gydag **-ig** neu **-aidd** ac mae'r enw ar yr iaith yn gorffen gydag **-eg**. Mae nifer o eithriadau, wrth gwrs! Llenwch y bylchau yn y tabl i ddweud pa eiriau sy'n cael eu defnyddio wrth sôn am bobl o'r gwledydd hyn, eu hiaith a phethau sy'n perthyn i'r wlad.

Pobloedd, eu hieithoedd a'u pethau – Dych chi wedi gwneud Ffrainc a Sbaen yn barod yn Uned 11 ond mae rhagor yma.

Gwlad/Cenedl	Pobl	Iaith	Pethau
Ffrainc			Ffrengig
Sbaen	Sbaenwyr		
Yr Almaen		Almaeneg	
Gwlad y Basg		Basgeg	
Llydaw			Llydewig
(Unol Daleithiau) America			
Rhufain			

Darllen – Dewch am dro

Geirfa:

hanesyddol **trawiad** **llefarydd** **elusennol** **canrifoedd**
Rhufeinig **plwyf** **Rhufeiniaid** **daeargryn** **cromlechi**
cynefin **Y Chwyldro Diwydiannol**

Mae Gareth Roberts eisiau i bawb gael cyfle i gadw'n iach a darganfod cyfrinachau **hanesyddol** eu bro. Er mwyn hybu hyn, mae'n creu mapiau o'i ardal sy'n dangos ddoe a heddiw. Esboniodd Gareth fwy am ei waith a sut dechreuodd y cyfan:

"Roeddwn yn sâl iawn chwe blynedd yn ôl ar ôl **trawiad** ar y galon. Ond mi wellais a phenderfynais weithio i fod yn heini eto. Gweithiais fel **llefarydd** i Sefydliad Prydeinig y Galon yng Nghymru, yn annog pobl i fynd allan a cherdded.

"Mi wnes i hefyd ddechrau trefnu teithiau cerdded **elusennol** ar hen lwybrau'r ardal oedd heb gael eu cerdded ers **canrifoedd**. Gyda chymorth yr Ymddiriedolaeth Archaeolegol, mi wnes i ymchwilio i'r hen ffordd **Rufeinig** o Gaernarfon i Gaer, a phenderfynu mai fi fyddai'r person cyntaf i'w cherdded mewn mil o flynyddoedd!

"Oherwydd y gwaith yma, gofynnodd Cyngor Gwynedd i mi greu mapiau cerdded hanesyddol, gan gychwyn gyda **phlwyf** Llanddeiniolen. Mae'r mapiau yma yn dangos hanes yr ardal o'r cyfnod cyn y **Rhufeiniaid** hyd at heddiw.

"Mae Llanddeiniolen yn ardal fawr, o'r Felinheli i Fethel a Rhiwlas ac mae llawer o weddillion archaeolegol i'w gweld. Mae olion **daeargryn** enfawr 200 mil o flynyddoedd yn ôl, a hefyd gweddillion 'spa' oedd yn enwog iawn yn oes Victoria, ond sydd rŵan yn gasgliad o gerrig yn y goedwig.

"Fel ffotograffydd, dw i'n gweithio i ddangos y llefydd yma heddiw a sut roedden nhw'n wreiddiol. Dw i wedi ail-greu lluniau o Landdeiniolen Oes yr Iâ ac Oes y Rhufeiniaid a dangos sut roedd **cromlechi**'n edrych.

"Mi gafodd pob tŷ yn yr ardal gopi o'r map o Landdeiniolen ac mi ges i sioc pan glywais fod plant lleol wedi penderfynu mynd am dro i chwilio am yr hanesion ar y map. Doeddwn i ddim yn disgwyl hynny o gwbl. Mae eraill wedi dweud nad oedden nhw'n gwybod bod caer yn y cae drws nesa, er enghraifft, a'u bod rŵan am fynd allan i ddarganfod eu hanes lleol.

"Dw i wrth fy modd fy mod i'n helpu pobl i ddarganfod eu **cynefin** am y tro cyntaf. Dw i'n trefnu teithiau cerdded gydag arweinyddion rŵan hefyd. Mae thema i bob taith, er enghraifft **y Chwyldro Diwydiannol**. Os ydych chi'n awyddus i wneud rhywbeth a fydd yn dda i'ch iechyd chi ac yn eich helpu i ddysgu mwy am hanes yr ardal ar yr un pryd, bydd croeso mawr i chi!"

(Addasiad o erthygl ar wefan *BBC Cymru Fyw*)

Ymarfer

1. Buodd Gareth yn gweithio i Sefydliad Prydeinig y Galon fel llefarydd. Byddwn ni'n clywed yn aml ar y newyddion am rywbeth sy wedi cael ei ddweud "gan lefarydd ar ran" rhyw sefydliad neu fudiad. Gorffennwch y brawddegau isod, gan gysylltu enw'r sefydliad â'r neges:

Dywedodd llefarydd ar ran ...

Heddlu Dyfed-Powys	nad yw Josh Tomos yn debygol o fod yn ffit ar gyfer gêm nesa'r bencampwriaeth.
Banc Lloegr	y bydd y Gwasanaeth Iechyd yn cael 2% yn fwy o arian y flwyddyn nesaf.
Cymdeithas yr Iaith	fod 600,000 o bobl wedi bod i gopa'r Wyddfa dros y flwyddyn ddiwethaf.
Undeb Rygbi Cymru	y bydd cyfres ddrama newydd yn cael ei ffilmio yn Aber-twyn yn ystod y gaeaf.
Llywodraeth Cymru	eu bod wedi arestio tri dyn yn Aberystwyth neithiwr.
Parc Cenedlaethol Eryri	y dylai'r archfarchnadoedd dalu mwy i ffermwyr am eu llaeth.
S4C	y byddan nhw'n ymgyrchu i gael gwasanaeth Cymraeg gwell gan y banciau.
Undeb Amaethwyr Cymru	na fydd cyfraddau llog yn codi'r mis nesaf.

2. Ydych chi'n gwybod beth yw cromlech? Sut mae cromlechi'n edrych (neu sut ro'n nhw'n edrych yn hanesyddol)? Tynnwch lun o gromlech yma i'ch helpu i ddisgrifio:

3. **Siaradwch:**

- Dych chi'n nabod eich cynefin ac yn gwybod hanes yr ardal?
- Oes gweddillion neu olion hanesyddol ger eich cartref?
- Dych chi'n cerdded llawer?
- Dych chi'n fwy tebygol o gerdded yn agos at gartref neu'n bellach i ffwrdd?
- Dych chi'n cerdded gyda grŵp ffurfiol, ar eich pen eich hun neu gyda theulu/ffrindiau?

Gwylio a gwrando – Trefnu teithiau cerdded

Edrychwch ar y darn fideo a nodwch beth mae'r siaradwr yn awgrymu yw'r pethau pwysicaf i'w cofio wrth drefnu taith.

1. ....

2. ....

3. ....

Ydy'r math o deithiau sy'n cael eu trafod yn y fideo yn apelio atoch chi?

Siaradwch

Meddyliwch am daith gofiadwy y buoch chi arni gyda grŵp o bobl. Trafodwch:

- Taith i ble oedd hi?
- Pwy oedd ar y daith a sut teithioch chi?
- Beth weloch chi a/neu beth wnaethoch chi?
- Wnaethoch chi fwynhau?
- Dych chi'n cofio faint gostiodd y daith?

Deialog

Cymerwch un o rannau'r ddeialog a'i hymarfer gyda'ch partner. Ar ôl ymarfer, ceisiwch ailadrodd cymaint ag sy'n bosib heb edrych ar y sgript! Wedyn, ewch drwyddi eto gan newid y rhannau sy wedi eu tanlinellu.

Mari: Hei Huw! Dw i eisiau siarad â ti. Mae'n amser i ni drefnu trip Blwyddyn 5 a Blwyddyn 6.

Huw: Wel, wel, mae'r amser 'na o'r flwyddyn wedi dod eto – mae'r wythnosau yn mynd heibio yn gynt ac yn gynt bob blwyddyn!

Mari: Ydyn wir, a'r blynyddoedd yn mynd heibio hefyd! 'Ta beth, 'nôl at y trefniadau – wyt ti'n hapus i ni drefnu ar gyfer y ddau ddosbarth gyda'i gilydd eto?

Huw: O ydw, mae'n arbed gwaith i'r ddau ohonon ni – basai rhaid i fi wneud dwywaith cymaint o waith taswn i'n trefnu ar fy mhen fy hun.

Mari: A basai'r gost yn uwch hefyd, gyda hanner y seddi ar y bws yn wag. Reit, i ble awn ni eleni 'te?

Huw: Dw i ddim yn siŵr. I ble aethon ni'r llynedd, dwed?

Mari: I Sain Ffagan, ac aethon ni yno dair blynedd 'nôl hefyd. Dw i ddim eisiau mynd yno am y trydydd tro.

Huw: Na, na finnau chwaith. Beth am Oakwood?

Mari: O na, bydd y plant yn mynd yn wyllt yno. Basai'n well 'da fi ymweld â rhywle mwy addysgiadol.

Huw: Gallen ni fynd i'r Llyfrgell Genedlaethol 'te – byddan nhw'n dawelach fan 'na!

Mari: Hmmm, ychydig bach yn rhy dawel, efallai, a basen nhw'n fwy gwyllt ar y bws wedyn!

Huw: Pwynt da. Oes unrhyw syniadau 'da ti 'te?

Mari: Nac oes, ond dyma'r chwheched trip i fi gyda Blwyddyn 6 a hoffwn i fynd i rywle gwahanol y tro 'ma.

Huw: Beth am ofyn i'r plant 'te – efallai byddan nhw'n gallu meddwl am rywle da.

Mari: Syniad da – gofynna i i Flwyddyn 6 y prynhawn 'ma a gofyn di i Flwyddyn 5.

Huw: Dyna ni 'te, dyna hynny wedi'i setlo!

Trefnu taith y dosbarth

- Pa fath o daith dych chi am ei threfnu?
- I ble dych chi am fynd a phryd?
- Sut dych chi eisiau teithio?
- Oes angen bwcio tocynnau i rywle?
- Oes angen trefnu bwyd? Oes angen bwcio ymlaen llaw?
- Faint bydd y daith yn ei gostio?
- Penderfynwch pwy sy'n gyfrifol am bob agwedd ar y trefniadau, am gysylltu ag unrhyw leoliad, cwmni bws/teithio ac ati, ac am gadarnhau'r manylion.

Rhestr wirio
Dw i'n gallu...

trafod teithiau a llefydd diddorol i ymweld â nhw.	
trafod trefniadau taith.	
cofio a defnyddio mwy o eiriau ac idiomau.	

Uned 18 – Does unman yn debyg i gartref...

Nod yr uned hon yw...
- Dysgu pryd i ddefnyddio **y** gyda'r cymal enwol
- Trafod cartrefi o bob math
- Dysgu geirfa ac idiomau newydd

Geirfa

clicied(au)	*catch(es), latch(es)*
ysgol(ion)	*ladder(s)* hefyd, *school(s)*

cysuro	*to comfort*
gorlifo	*to overflow*

bwriad(au)	*intention(s)*
cleient(iaid)	*client(s)*
cyntedd(au)	*foyer(s)*
dyrnaid (dyrneidiau)	*fistful(s), handful(s)*
gwneuthurwr (-wyr)	*manufacturer(s)*
perchennog (perchnogion)	*owner(s)*

anghysbell	*remote*
cron	*round* (ffurf fenywaidd 'crwn')
cyfyng	*confined*
gaeafol	*wintry*

Geiriau pwysig i fi

× .... × ....
× .... × ....

Deialog

A: Rwyt ti'n ôl yn gynnar! Beth sy'n bod? Pam rwyt ti'n edrych arna i fel 'na?

B: Ro'n i'n meddwl (y) baset ti wedi tacluso tra o'n i allan.

A: Oes angen tacluso?

B: Wrth gwrs bod angen tacluso! Edrycha ar y llestri ym mhob man!

A: Do'n i ddim wedi sylwi. Falle (y) dylet ti fod wedi gofyn i fi...

B: Do'n i ddim yn credu bod angen gofyn. Beth wyt ti wedi bod yn wneud?

A: Ymlacio. Mae hawl gyda fi i ymlacio ar ddydd Sadwrn, on'd oes e? Dw i ddim yn meddwl (y) caf i funud i fi fy hunan wythnos nesa. Mae hi fel ffair yn y gwaith ar hyn o bryd.

B: Nac oes, does dim hawl gyda ti i ymlacio pan fydd annibendod fel hyn yn y tŷ. Ro't ti'n meddwl (y) baswn i'n tacluso ar dy ôl di, on'd o't ti!

A: Nac o'n i wir! Ond af i i dacluso nawr. Wyt ti'n credu (y) byddi di yn hapus wedyn?

Help llaw – 'y' gyda'r Cymal Enwol

Yn yr uned hon, byddwn ni'n ymarfer defnyddio'r **y** yn drylwyr. Dyw pobl ddim bob amser yn dweud yr **y** wrth siarad, ond mae angen yr **y** wrth ysgrifennu'n ffurfiol.

Edrychon ni ar y cymal enwol yn Uned 5. Dyma sut 'dyn ni'n cysylltu brawddegau â'i gilydd. 'Dyn ni'n defnyddio **bod** i ffurfio'r cymal enwol **gyda'r amser presennol**, **perffaith** (wedi), **amherffaith** (roedd) a **gorberffaith** (roedd wedi), e.e.

Dw i'n credu **ei bod hi'n** athrawes wych.

Roedd e'n meddwl **ei fod e** wedi cael bargen.

Gyda'r **dyfodol** a'r **amodol**, 'dyn ni'n defnyddio **y** i gysylltu dau hanner y frawddeg, e.e.

Mae e'n credu **y bydd e'n** cael lifft.

Mae e'n credu **y caiff e**'r swydd.

Dw i'n credu **y dylet ti** fynd adre.

Dw i'n credu y **gallwn i** newid olwyn car.

Ro'n i'n gwybod **y basech chi**'n ennill.

Mae **y** yn troi'n **yr** o flaen llafariaid, e.e.: Dw i'n gobeithio **yr aiff e** adre cyn hir.

Ymarfer

Llenwch y bylchau yn y golofn ar y dde. Yna, gwnewch yr ymarfer gyda'ch partner, heb edrych ar y papur.

Dy fai di yw e.	Dw i'n credu y dylwn i ymddiheuro.
Fy mai i yw e.	Dw i'n credu y dylet ti ymddiheuro.
Ei fai e yw e.	Dw i'n credu .... ymddiheuro.
Ei bai hi yw e.	Dw i'n credu .... ymddiheuro.
Ein bai ni yw e.	Dw i'n credu .... ymddiheuro.
Eu bai nhw yw e.	Dw i'n credu .... ymddiheuro.

Cysylltu cymalau

Cysylltwch y ddau gymal i greu brawddeg yn y **dyfodol** neu'r **amodol**. Mae'r un cyntaf wedi ei wneud i chi. Cofiwch dreiglo gwrthrych y ferf (*object of the verb*), e.e. Dw i'n credu y dylet ti fwyta brecwast iach.

Dyfodol

1. Dwedodd y tiwtor + ni + sefyll arholiad yn yr haf.
   Dwedodd y tiwtor y byddwn ni'n sefyll arholiad yn yr haf.

2. Dw i'n credu + fi + ymlacio dydd Sadwrn.

   ....

3. Gobeithio + chi + hapus yn eich cartref newydd.

....

4. Mae hi'n siŵr + hi + gallu talu'r biliau ar ei phen ei hun.

....

Amodol

1. Falle + ti + tacluso'r garej.
   <u>Falle y dylet ti dacluso'r garej.</u>

2. Maen nhw'n credu + nhw + symud i fyw mewn byngalo.

....

3. Dw i'n meddwl + ti + peintio'r gegin yn las.

....

4. Mae e'n credu + fe + cael help i lanhau'r tŷ.

....

Gyda'ch partner, meddyliwch am ymatebion i'r brawddegau hyn gan ddefnyddio **y** + **bydd/dylai, e.e.:**

1. Maen nhw wedi colli'r bws. — Dw i'n credu y dylen nhw ffonio am dacsi.
2. Sut bydd y tywydd fory?
3. Dw i ddim yn siŵr ble i fynd ar fy ngwyliau eleni.
4. Mae llawer o chwyn yn yr ardd.
5. Wyt ti'n credu y byddi di'n byw yn y fflat yma am sbel?

Y tro yma, newidiwch y ferf:

1. Wyt ti wedi gweld Dai yn ddiweddar? Mae'n siŵr y gwela i fe fory.
2. Wyt ti wedi ffonio Dai yn ddiweddar?
3. Wyt ti wedi siarad â Dai yn ddiweddar?
4. Wyt ti wedi talu Dai yn ddiweddar?

Y tro hwn, rhaid penderfynu oes eisiau **bod** neu **y**. Unwch ddau hanner y brawddegau:

1. Maen nhw'n dweud bydd cyfraddau llog yn codi'r mis nesa.

....

2. Diolch byth rwyt ti wedi galw ar yr adeg iawn.

....

3. Dwedodd hi roedd hi'n bwriadu astudio cyfrifiadureg.

....

4. Ro'n i'n gobeithio basai'r elfennau gwahanol yn dod at ei gilydd.

....

5. Maen nhw'n sicr bydd pobl yn heidio yn eu miloedd.

....

6. Y newyddion da yw dw i'n mynd i'r Wladfa ar wyliau.

....

Cyfieithwch:

1. *I heard that he lives in a remote cottage.*

....

2. *They think there will be an earthquake in the area.*

....

3. *The doctor said that she has had a heart attack.*

....

4. *He was hoping there would be a strong church in the parish.*

....

5. *I'm sure I'll wear the dress again on a special occasion.*

....

Gwylio a gwrando

Byddwch chi'n gwylio rhan o'r rhaglen *Adre*, lle mae Nia Parry yn ymweld â chartref y bardd Aneirin Karadog ym Mhontyberem.

Rhowch gylch o gwmpas y geiriau hyn pan fyddwch chi'n eu clywed nhw:

Gawn ni fynd i fusnesu? **cyntedd** **cyfyng**
mae'n gywilydd **gwneuthurwr** **mwythau** **arbed lle**
cleientiaid **cadair farddol** **daearyddiaeth** **braidd yn**
aeafol **lolfa lên** **gyda'r bwriad** **gorlifo**
cynganeddu

1. Pa fath o fwrdd sy gyda nhw? Pam?

....

2. Beth mae Laura, gwraig Aneirin, yn ei wneud yn y lolfa?

....

3. Beth yw canolbwynt y lolfa?

....

4. I ba gyfeiriad mae'r ardd yn wynebu? Beth sy'n dda am hynny?

....

5. Yn ôl Sisial, merch Aneirin a Laura, pwy sy ddim yn cael eistedd yn y gadair farddol?

....

6. Pa fath o offer sy mewn bocsys yn swyddfa Aneirin?

....

7. Pa fath o lyfrau yw rhai Laura?

....

8. Beth sydd ar y poster yn swyddfa Aneirin?

....

Siaradwch

	Cwestiwn	Enw
	Pwy sy'n byw mewn hen dŷ?	
	Pwy sy wedi cwympo mewn cariad â thŷ neu adeilad o'r blaen?	
	Pwy oedd yn treulio llawer o amser yn chwarae ac yn crwydro tu fa's pan o'n nhw'n blant?	
	Oes ci gyda rhywun?	
?	Oes rhywun yn gwybod beth yw 'rhiniog'?	
?	Oes rhywun yn gwybod beth yw 'cadair esmwyth'?	
	Oes tân coed gyda rhywun?	
	Pwy oedd yn chwarae mewn cuddfan *(den)* gyfrinachol pan o'n nhw'n blant?	
	Pwy fasai'n hoffi byw mewn lle anghysbell?	

Darllen

Addasiad o *Yn y Tŷ Hwn* gan Siân Northey

Geirfa:	perchennog	arddegau	cysuro	clicied
	cron	dyrnaid	pwyllog	

Ar ei phen ei hun roedd hi y tro cyntaf iddi weld Nant yr Aur, plentyn un ar ddeg oed, braidd yn unig, ychydig yn rhamantus, yn crwydro ar ei phen ei hun efo'i chi. Roedd ganddi ddarlun clir yn ei meddwl o Meg, yr ast goch, yn rhedeg i lawr at yr afon. Yr adeg honno crwydrai Anna ar ei phen ei hun o ben bore tan ddiwedd pnawn heb neb yn poeni amdani.

Ac fe welodd hi'r tŷ gwag, ymhell o bob man. Eisteddodd wrth y drws yn bwyta'i brechdan gaws gan deimlo mai hi oedd ei **berchennog**.

Hyd yn oed yn ei **harddegau**, byddai'n crwydro yno pan fyddai pethau'n ddrwg gartref. Roedd Meg bellach yn rhy hen i ddod efo hi, ac yn hytrach na bwyta brechdan gaws byddai'n mwynhau sigarét dawel a gadael i'r tŷ ei **chysuro**. Welodd hi neb arall yno erioed. Efallai mai dyna pam roedd hi mor rhwydd credu mai hi oedd perchennog Nant yr Aur.

Roedd drws Nant yr Aur yn un llydan, a cherrig yn fwa uwch ei ben. Cerddodd yn syth ato. Rhoddodd ei bawd ar y **glicied** a gwthio. Ac am y tro cyntaf erioed, fe agorodd y drws, yn llydan agored. Doedd dim amser i ailfeddwl. Ystafell wedi'i haddurno'n syml iawn, a thân coed yn y simne fawr yn y pen – ystafell heb 'run bod dynol ynddi. Camodd i mewn. Roedd yna ddysgl o ffrwythau ar y ford **gron** dderw, a heb feddwl, gafaelodd mewn **dyrnaid** o rawnwin a'u bwyta'n araf, un ar y tro, gan edrych yn **bwyllog** o gwmpas y stafell.

***Yn y Tŷ Hwn* (Gwasg Gomer, 2011)**

Diolch yn fawr i Siân Northey am ei chaniatâd i addasu rhan o'i nofel.

1. Heb edrych yn ôl, ceisiwch gofio pa air sy'n dilyn y geiriau yma yn y darn:

darlun	....
brechdan	....
sigarét	....
tân	....

2. Gyda'ch partner, ffeindiwch y cyfieithiad Cymraeg i'r geiriau hyn:
from early morning to late afternoon
rather than
She never saw anyone else there.
wide open
the round oak table

Rhestr wirio
Dw i'n gallu...

defnyddio **y** gyda'r cymal enwol.	
siarad am gartrefi a bywyd y cartref.	

Uned 19 – Cerddoriaeth

Nod yr uned hon yw…

- Defnyddio pwyslais gyda'r cymal enwol
- Trafod cerddoriaeth o bob math
- Dysgu geirfa ac idiomau newydd

Geirfa

allweddell(au)	*keyboard(s)*
gwerin	*folk*

anelu (at)	*to aim for*
annog	*to encourage*
bodoli	*to exist*
denu	*to attract*
dosbarthu	*to distribute, to deliver; to classify*
hysbysebu	*to advertise*
rhyddhau	*to release*
ysbrydoli	*to inspire*

curiad(au)	*beat(s)*
gweithdy (gweithdai)	*workshop(s)*
lleisydd (lleiswyr)	*vocalist(s)*
nodyn (nodau)	*note(s)*
rhyddid	*freedom*
soddgrwth (soddgrythau)	*cello(s), violoncello(s)*
tant (tannau)	*string(s)*
uchelfan(nau)	*peak(s), height(s)*

trydanol	*electric, electrical*

ochr yn ochr	*side by side*

Geiriau pwysig i fi

× ....

× ....

× ....

× ....

Adolygu 'y' gyda'r cymal enwol

Gweithiwch gyda'ch partner.

- Edrychwch ar y gweithgareddau yn y blwch isod.
- Penderfynwch (yn unigol) pa weithgaredd yr hoffech chi fynd iddo, a rhowch gylch o'i gwmpas.
- Yna, fel pâr, rhaid i chi ddyfalu pa weithgaredd yr hoffai pob aelod arall o'r dosbarth fynd iddo, a chreu brawddegau gan ddefnyddio **y** gyda'r cymal enwol, e.e. 'Dyn ni'n meddwl y basai XX yn dewis mynd i gyngerdd clasurol'.
- Bydd y tiwtor yn holi i weld pa weithgaredd yr hoffai pob aelod o'r dosbarth fynd iddo. Byddwch chi'n cael pwynt am bob ateb cywir. Pob lwc!

opera	cyngerdd roc trwm mewn stadiwm	sesiwn werin yn y dafarn
sioe gerdd	cyngerdd band pres	ymarfer côr recorders
cyngerdd clasurol	cyngerdd band pop	cyngerdd côr meibion
dawnsio mewn clwb nos		

Siaradwch – Dangoswch eich hoff albwm neu lun o'ch hoff artist cerddorol. Pam mae'r albwm neu'r artist yn bwysig i chi?

Help llaw – PWYSLAIS gyda'r Cymal Enwol

Yn Uned 17, gwnaethon ni ymarfer defnyddio **y** gyda'r cymal enwol. Nawr 'dyn ni'n ymarfer pwyslais gyda'r cymal enwol.

Edrychwch ar y brawddegau hyn:

Mae Gwen yn gantores opera.	DIM PWYSLAIS
Cantores opera yw Gwen.	PWYSLAIS
Dw i'n gwybod bod Gwen yn gantores opera.	DIM PWYSLAIS
Dw i'n gwybod taw cantores opera yw Gwen.	PWYSLAIS

'Dyn ni'n defnyddio'r gair **taw** i gysylltu dau hanner y frawddeg, a **does dim** angen newid yr ail hanner.

Yn y gogledd maen nhw'n defnyddio'r gair **mai** yn lle **taw**, a byddwch chi'n gweld **mai** mewn cylchgronau, nofelau ac adroddiadau hefyd.

Cofiwch: does dim treiglad ar ôl **mai** na **taw**.

Unwch ddau hanner y brawddegau hyn. Mae'r un gyntaf wedi'i gwneud i chi.

1. Efallai + fe yw drymiwr y band.
   Efallai taw fe yw drymiwr y band.

2. Dw i'n sicr + yng Nghanolfan y Mileniwm mae'r cyngerdd.

   ....

3. Dw i'n sicr + mae'r gêm yn Stadiwm y Mileniwm.

   ....

4. Mae e'n dweud + mae John yn barod i fynd adre.

   ....

5. Mae e'n dweud + am naw o'r gloch mae'n rhaid iddo fe adael.

   ....

6. Dw i'n gobeithio + dyma'r gân olaf am heno.

   ....

7. Dw i'n gobeithio + byddan nhw'n canu eu sengl newydd.

   ....

8. Dw i'n clywed + Erin yw'r arweinydd heno.

   ....

9. Dw i'n clywed + mae Erin yn arwain y côr heno achos bod Bethan yn dost.

   ....

Llenwch y bylchau hyn a siaradwch am eich atebion â'ch partner:

1. Dw i'n credu taw .... yw un o fy hoff gantorion.
2. Dw i'n sicr taw .... yw un o fy hoff ganeuon erioed.
3. Dw i'n meddwl taw .... oedd fy hoff grŵp pan o'n i yn yr ysgol.
4. Dw i'n meddwl taw .... yw un o'r lleoliadau gorau ar gyfer cyngerdd yng Nghymru.

Dewiswch gyfnod a thrafodwch: Dw i'n credu taw cerddoriaeth y 50au/60au/70au/80au/90au/00au/presennol yw'r gerddoriaeth orau.

Cwis Gwrando

Byddwch chi'n gweithio mewn timau. Rhaid i chi ddyfalu beth yw'r 10 offeryn sy'n cael eu chwarae. Adroddwch yn ôl i'r dosbarth yn defnyddio 'taw', e.e. "Dyn ni'n credu taw piano yw e'. Pob lwc!

Darllen

Pwy oedd Y Blew?

Geirfa:

bodoli	**lleisydd**	**allweddellau**	**cyfnod**	**hysbysebu**
dosbarthu	**gwerin**	**adlewyrchu**	**rhyddid**	**denu**

Dim ond un sengl recordion nhw, a dim ond am 8 mis yn 1967 ro'n nhw'n **bodoli**. Serch hynny, maen nhw'n fand pwysig iawn yn hanes cerddoriaeth Gymraeg. Pam? Wel, maen nhw'n dweud taw nhw oedd y grŵp roc trydanol cyntaf i ganu yn Gymraeg.

Pedwar o fyfyrwyr Prifysgol Aberystwyth oedd aelodau'r band, sef Maldwyn Pate (prif **leisydd**), Richard Lloyd (gitâr flaen), Dafydd Evans (gitâr fas) a Dave Williams (**allweddellau**). Ro'n nhw'n teimlo bod canu pop Cymraeg yn hen ffasiwn a bod angen rhywbeth newydd a chyffrous i bobl ifanc Cymru.

Ar ôl eu gigs llwyddiannus yn ardal Aberystwyth, aethon nhw ati i drefnu 50 o gigs o gwmpas de Cymru. Yn wahanol i fandiau Cymraeg eraill y **cyfnod**, roedd agwedd broffesiynol iawn gyda nhw. Gwarion nhw lawer o arian ar offer a **hysbysebu**. Prynon nhw fan ro'n nhw'n ei galw'n 'Blewfan' a **dosbarthu** miloedd o daflenni'n dweud "Mae'r Blew yn dod!".

Daeth llawer o bobl i weld y ffenomen newydd yma. Ar ôl un gig roedd merched wedi ysgrifennu negeseuon mewn lipstic dros y 'Blewfan'. Ond heblaw am gig yn Eisteddfod y Bala, wnaeth Y Blew ddim perfformio yn y gogledd. Do'n nhw ddim yn meddwl y basai croeso iddyn nhw achos bod canu **gwerin** mor boblogaidd yno.

Recordiodd y band eu sengl – 'Maes B' – yn haf 1967. Maes B oedd enw'r cae yn Eisteddfod y Bala lle perfformion nhw. Mae'r gân yn **adlewyrchu** gobaith, **rhyddid** a hwyl haf 1967 – *The Summer of Love*. Ond, daeth y band i ben ym mis Rhagfyr 1967.

Yn 1997, aeth yr Eisteddfod yn ôl i'r Bala ac roedd llawer o sôn am Y Blew ac Eisteddfod 1967. Penderfynwyd galw'r ardal newydd i bobl ifanc yn 'Maes B'. Ers hynny mae Maes B wedi **denu** cannoedd o bobl ifanc bob blwyddyn i fwynhau cerddoriaeth roc yn Gymraeg.

1. Ar ôl darllen yr erthygl, edrychwch ar y brawddegau yma gyda'ch partner a dweud 'Dw i'n meddwl taw...' os ydy'r frawddeg yn wir, neu 'Dw i ddim yn meddwl taw...' os dydy'r frawddeg ddim yn wir. Er enghraifft:

Band gwerin oedd Y Blew. = > Dw i ddim yn meddwl taw band gwerin oedd Y Blew.

- **i.** The Summer of Love oedd haf 1967.
- **ii.** Cerddoriaeth jazz oedd hoff gerddoriaeth pobl y gogledd.
- **iii.** Un record wnaeth Y Blew.
- **iv.** Dafydd Evans oedd prif leisydd Y Blew.
- **v.** Maes X yw enw'r ardal i bobl ifanc yn yr Eisteddfod Genedlaethol.

2. Enwau benywaidd yw **cerddoriaeth** a **cân**. Cofiwch fod ansoddair yn treiglo'n **feddal** ar ôl enwau benywaidd. Felly, beth yw:

folk song .... *good song* ....
classical music .... *different music* ....
sad song .... *popular music* ....

Siaradwch:

- Dych chi'n gwrando ar unrhyw gerddoriaeth Gymraeg?
- Dych chi'n gwrando ar gerddoriaeth mewn ieithoedd eraill?
- Pa mor bwysig yw iaith caneuon i chi?

Gwylio a gwrando 1

Byddwch chi'n gwylio fideo am fachgen o'r enw Gwydion Rhys sy wedi cael ei ddewis i arwain Cerddorfa Genedlaethol Gymreig y BBC yng ngŵyl 'Proms yn y Parc'.

1. Yn gyntaf, gwrandewch am y geiriau hyn:

tant nodyn curiad paratoadau gweithdy ochr yn ochr annog soddgrwth anelu am yr uchelfannau

2. Rhowch y rhifau cywir (mewn geiriau) yn y bylchau.

i. Hwn yw'r .... fed tro i ŵyl 'Proms yn y Parc' gael ei chynnal.
ii. Mae Gwydion Rhys yn .... oed.
iii. Mae .... o bobl wedi gwylio'r fideo ar y we.

3. Atebwch y cwestiynau hyn:

i. Pam doedd Gwydion Rhys ddim eisiau arwain y gerddorfa i ddechrau?

....

ii. Ydy'r digwyddiad wedi bod yng ngogledd Cymru o'r blaen?

....

iii. Beth mae'r Proms yn ei wneud, yn ôl Anwen Rees?

....

iv. Beth yw prif ddiddordeb Gwydion Rhys?

....

v. Pa offerynnau mae e'n eu chwarae?

....

Siaradwch

- O'ch chi'n chwarae offeryn pan o'ch chi'n iau?
- Oedd gyda chi hobi neu ddiddordeb dych chi ddim yn ei ddilyn erbyn hyn? Pam mae hynny?
- Dych chi'n difaru rhoi'r gorau i unrhyw hobi?

Gwylio a gwrando 2

Gwyliwch y fideo yma o Kizzy Crawford yn siarad am ei cherddoriaeth, a'i fersiwn hi o'r gân werin Gymraeg, 'Dafydd y Garreg Wen'.

1. Ble cafodd Kizzy Crawford ei magu?

   ....

2. Ar ba fath o gerddoriaeth roedd hi'n gwrando pan oedd hi'n ifanc?

   ....

3. Beth ysbrydolodd hi i gyfansoddi caneuon?

   ....

4. Sut dysgodd hi 'Dafydd y Garreg Wen'?

   ....

5. Pam roedd hi'n hoffi fersiwn Bryn Terfel o'r gân?

   ....

6. Beth roedd hi eisiau ei wneud yn ei fersiwn hi?

   ....

Rhestr wirio

Dw i'n gallu...

defnyddio pwyslais gyda'r cymal enwol.	
trafod a mynegi barn am gerddoriaeth.	

Uned 20 – Fi yw'r person gorau ar gyfer y swydd!

Nod yr uned hon yw...
- Defnyddio pwyslais mewn brawddegau
- Siarad am fyd gwaith
- Dysgu geirfa ac idiomau newydd

Geirfa

desg ymholiadau (desgiau)	*enquiry desk(s)*
prentisiaeth(au)	*apprenticeship(s)*

diogelu	*to protect, to safeguard*
ymddwyn	*to behave*

datblygiad(au)	*development(s)*
labordy (labordai)	*laboratory (-ies)*
morgais (morgeisi)	*mortgage(s)*
saer (seiri)	*carpenter(s)*
ymgeisydd (ymgeiswyr)	*candidate(s)*

Anghenion Dysgu Ychwanegol	*Additional Learning Needs*
ar fy liwt fy hun / ar dy liwt dy hun / ar ei liwt ei hun ...	*freelance*
llawn cystal	*just as good, equal to*

Geiriau pwysig i fi

×

×

×

×

Help llaw

Pwyslais
'Dyn ni wedi ymarfer defnyddio **taw** i roi pwyslais mewn brawddeg. Nawr 'dyn ni'n ymarfer y patrwm pwysleisiol, ac yn dysgu pryd i ddefnyddio'r geiriau **sy** ac **yw** wrth roi pwyslais.

1. Edrychwch ar y gwahaniaeth rhwng y brawddegau hyn:

Meddyg dw i.	Dw i'n feddyg.	*I am **a** doctor.*
Fi yw'r meddyg.		*I am the doctor.*
Athrawes o'n i.	Ro'n i'n athrawes.	*I was **a** teacher.*
Fi oedd yr athrawes.		*I was the teacher.*

2. I ddeall pwyslais, mae angen deall pwy neu beth yw'r **goddrych** (*subject*).

Brawddeg heb bwyslais	Pwyslais ar y goddrych
Dw i'n mynd i'r gwaith. Mae e'n gweithio yng Nghaerffili. Mae cwrs hyfforddi yma, heddiw.	**Fi** sy'n mynd i'r gwaith. **Fe** sy'n gweithio yng Nghaerffili, nid fi. **Cwrs hyfforddi** sy yma heddiw, nid cyngerdd. **Sylwch ar y treiglad meddal ar ôl y goddrych a'r ferf yn y trydydd person:**
Dwedais i. Gofynnon nhw. Gadawodd hi. Clywon ni. Caf i. Bydd hi'n mynd. Roedd hi yn y dafarn.	Fi **dd**wedodd. Nhw **o**fynnodd. Hi **a**dawodd. Ni **g**lywodd. Fi **g**aiff. Hi **f**ydd yn mynd. Hi oedd yn y dafarn.

Tanlinellwch y goddrych yn y brawddegau hyn:

1. Mae John yn prynu car newydd o'r garej yn Aberdâr.
2. Mae Liz yn mynd i weld ffilm yn y sinema heno.
3. Mae'r teulu'n gwersylla wrth y llyn ar hyn o bryd.

Ailysgrifennwch y brawddegau gyda'r pwyslais ar y goddrych.

1. ....

2. ....

3. ....

Dych chi'n gwybod? Atebwch gyda phwyslais!

1. Pwy yw nawddsant Cymru?
2. Beth sy'n digwydd ar 25 Ionawr?
3. Pwy oedd Richard Burton?
4. Beth yw mynydd ucha Cymru?
5. Beth oedd syniad Aneurin Bevan?
6. Pa raglenni fydd ar S4C heno?
7. Beth sy ar faner Cymru?
8. Pa liw yw cennin Pedr?
9. Beth sy'n cael ei chwarae yn Stadiwm Principality?
10. Faint o barciau cenedlaethol sy yng Nghymru?
11. Pwy oedd 'Bardd y Gadair Ddu'?

Os byddwn ni'n pwysleisio rhan o'r frawddeg heblaw am y goddrych, 'dyn ni'n newid trefn y frawddeg. 'Dyn ni'n rhoi'r rhan 'dyn ni'n ei phwysleisio ar ddechrau'r frawddeg bob tro, e.e.

Mae John yn prynu car newydd o'r garej yn Aberdâr >
O'r garej yn Aberdâr mae John yn prynu car newydd.
Pwysleisiwch y geiriau sy wedi'u tanlinellu:

1. Mae Liz yn mynd i weld ffilm yn y sinema heno.
2. Mae'r teulu'n gwersylla wrth y llyn ar hyn o bryd.
3. Mae Pobol y Cwm ar S4C.
4. Dw i'n dod o Ogledd Lloegr.

Darllenwch y deialogau hyn gyda'ch partner. Yna, darllenwch nhw eto gan bwysleisio'r geiriau sydd wedi'u tanlinellu. Cofiwch mai **ie / nage** yw'r ateb i frawddegau pwysleisiol, felly bydd angen newid ambell ateb, sydd wedi'u tanlinellu hefyd.

Geirfa:

cangen **morgeisi** **desg ymholiadau** **cyfreithiwr**

Deialog 1

A: Beth yw gwaith dy bartner di?

B: Mae e'n <u>gogydd</u>.

A: Ydy e'n gweithio mewn bwyty?

B: <u>Nac ydy</u>. Mae e'n gweithio mewn <u>cartref henoed</u>.

A: Ael y Bryn?

B: Nage. Mae e'n gweithio <u>yn Awel Deg</u>.

A: Hwnna yw'r <u>cartref wrth yr ysgol</u>, ie?

B: Ie, dyna ti. Mae <u>cwpwl hyfryd o Wlad Pwyl</u> yn rhedeg y lle. Mae e'n mwynhau gweithio yno.

Deialog 2

A: Ble rwyt ti'n gweithio erbyn hyn?

B: Dw i yn y banc o hyd ond symudais i i **gangen** newydd tua dwy flynedd yn ôl. Dw i'n gweithio <u>ym Mhontypridd</u> nawr.

A: Sut mae pethau'n mynd?

B: Da iawn. <u>Dw i'n</u> rheoli'r adran **forgeisi**.

A: Ydy <u>Claire Williams</u> yn gweithio ar y **ddesg ymholiadau** o hyd?

B: <u>Ydy</u>. Mae Claire yno o hyd. Mae hi'n <u>un dda</u>. Beth amdanat ti? Wyt ti <u>yn swyddfa'r **cyfreithiwr**</u>**?**

A: <u>Ydw</u> – ers ugain mlynedd! Paid â sôn – mae'n dwll o le!

Darllen – Lleisiau o lawr y ffatri

Prosiect cyffrous gan Archif Menywod Cymru yw 'Lleisiau o Lawr y Ffatri'. Mae'n nodi hanesion menywod oedd yn gweithio mewn ffatrïoedd yng Nghymru rhwng 1945 ac 1975. Recordiwyd siaradwyr oedd yn gweithio mewn dros 200 o wahanol ffatrïoedd. Erbyn hyn, mae'r rhan fwyaf o'r ffatrïoedd hyn wedi cau.

Geirfa: cyfarwyddo diogelu llawn cystal saer

Hanes Eirlys Lewis

Cafodd Eirlys Lewis ei geni ar Fawrth y cyntaf, 1949, i deulu mawr ym mhentref Garnswllt ger Rhydaman.

Gadawodd Eirlys yr ysgol yn bymtheg oed. Cafodd hi ei swydd gyntaf yn ffatri Pullman Flexolators, a oedd yn gwneud pethau metel fel sbrings ar gyfer gwelyau.

Ar ôl wythnos roedd hi wedi **cyfarwyddo** â sŵn mawr y ffatri ac yn teimlo'n ddigon cartrefol. Roedd ei brawd yn gweithio yno hefyd. Doedd hi ddim yn ennill cymaint o arian â'i brawd achos ei bod hi'n ifancach (ac o bosib, achos ei bod hi'n ferch) ond doedd hynny ddim yn ei phoeni hi ar y pryd.

Gwaith brwnt oedd e, yn ôl Eirlys. Un dasg beryglus oedd dipio pethau mewn asid i'w glanhau. Doedd dim gogls i **ddiogelu'r** llygaid. Y cyfan oedd ar gael oedd ffedog a phâr o fenig.

Er hynny, roedd hi'n mwynhau ei gwaith. "Roedd hwyl i'w gael mewn ffatri. Dych chi'n griw gyda'ch gilydd ac mae pob un â'i stori."

Ar ôl gweithio mewn ffatrïoedd lleol eraill, cafodd Eirlys waith yn Vandervell Products, Caerdydd. Hyfforddwyd hi gyda dynion i weithio gyda pheiriannau mawr trwm y ffatri. Roedd llawer o ddynion yn anhapus bod menyw yn gwneud yr un gwaith â nhw, ond yn y diwedd bu'n rhaid i lawer o ddynion ofyn iddi hi am help.

"Roedd fy nheulu i'n gofyn pam ro'n i'n gwneud yr un gwaith â dyn," meddai hi. "Ro'n i'n dweud, 'Achos fy mod i'n **llawn cystal** â dyn, os nad gwell.' Taswn i wedi cael y cyfle pan o'n i'n ifanc, baswn i wedi mynd naill ai'n fecanic neu'n **saer**."

Yn 1981, priododd Eirlys a gadawodd ffatri Vandervell. Aeth yn ôl i sir Gaerfyrddin i ffermio gyda'i gŵr. Doedd dim cyfle wedyn i ddefnyddio'r sgiliau ddysgodd hi yng Nghaerdydd.

Gorffennwch y brawddegau hyn gan ddefnyddio gwybodaeth o'r darn darllen:

1. Ym mhentref Garnswllt ger Rhydaman ....
2. Yn ffatri Pullman Flexolators ....
3. Tasg beryglus oedd ....
4. Dim ond ffedog a menig ....
5. Gwaith Eirlys yn Vandevell oedd ....
6. Ffermio wnaeth ....

Basai Eirlys wedi mwynhau bod yn fecanic neu'n saer. Beth basech chi wedi mwynhau ei wneud? Trafodwch gyda'ch partner, yna gorffennwch y frawddeg hon:

Taswn i wedi cael y cyfle pan o'n i'n ifanc, baswn i wedi ...

....

....

....

....

....

Gwylio a gwrando – Cyfweliad am swydd

Geirfa:

ymgeisydd **ymddwyn** **labordy** **datblygiad**
Anghenion Dysgu Ychwanegol **pennaeth** **prentisiaeth**

Byddwch chi'n gwylio fideo o dri ymgeisydd yn cael eu cyfweld am swydd cynorthwyydd dosbarth. Llenwch y tabl, yna trafodwch yr ymgeiswyr gyda'ch partner. Pa ymgeisydd yw'r gorau?

Enw	Hannah	Rhun	Manon
Profiad			
Pam mae e/hi eisiau'r swydd?			
Cymwysterau			
Syniadau			
Personoliaeth			
Gwisg a golwg			
Marc allan o 10			

Pwy yw'r ymgeisydd gorau ar gyfer y swydd? Pam?

Dych chi nawr yn gallu darllen *Cawl a Straeon eraill* (Y Lolfa). Dyma'r clawr a'r paragraff cynta:

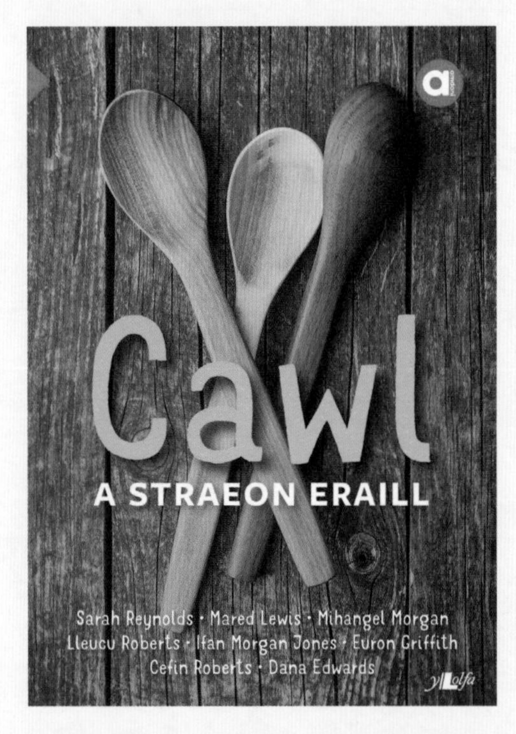

Dw i ddim yn gwybod pam o'n i'n synnu. Dywedodd Tommy ei fod yn mynd i werthu côt Ruby. Er hynny, pan welais i hi, yn hongian yn llipa yn ffenest y siop ffeirio, ro'n i'n teimlo fel tasai Tommy wedi fy mwrw i yn fy mol. Atseiniodd ei eiriau yn fy mhen.

Rhestr wirio

Dw i'n gallu...

defnyddio pwyslais mewn brawddegau.	
siarad am fyd gwaith.	

Uned 21 – Anifeiliaid anwes

Nod yr uned hon yw...
- Defnyddio'r amodol cryno
- Siarad am anifeiliaid anwes
- Dysgu geirfa ac idiomau newydd

Geirfa

tystiolaeth(au)	*evidence(s)*

ailgartrefu	*to rehouse*
amddiffyn (rhag)	*to protect, to defend*
dyblu	*to double*
hela	*to hunt*
meiddio	*to dare*
mwytho	*to pet, to fondle, to pamper*

blinder(au)	*fatigue, weariness trouble(s)*
cerflun(iau)	*statue(s)*
crud(au)	*cradle(s)*
gofyniad (gofynion)	*requirement(s)*
gwirionedd(au)	*truth(s)*
milgi (milgwn)	*greyhound(s)*

darpar	*prospective, expectant* neu *to be*
delfrydol	*ideal*
ffyddlon	*faithful*

bod â meddwl mawr o rywun	*to hold someone in high regard*
wrth reswm	*it stands to reason*
y math yna o beth	*that kind of thing*

Geiriau pwysig i fi

× .... × ....

× .... × ....

Help llaw

Edrychon ni ar yr amodol yn Uned 4. Dych chi'n gallu defnyddio'r ffurfiau **hoffwn i, gallwn i** a **dylwn i**, a falle eich bod yn gyfarwydd â'r ffurfiau **byddwn i** ac ati yn lle **baswn i**. Ond mae gan bob berf ffurfiau cryno'r amodol:

Synnu	Gofyn	Talu	Gweld
Synnwn i	Gofynnwn i	Talwn i	Gwelwn i
Synnet ti	Gofynnet ti	Talet ti	Gwelet ti
Synnai fe / hi	Gofynnai fe / hi	Talai fe / hi	Gwelai fe / hi
Synnen ni	Gofynnen ni	Talen ni	Gwelen ni
Synnech chi	Gofynnech chi	Talech chi	Gwelech chi
Synnen nhw	Gofynnen nhw	Talen nhw	Gwelen nhw

Mae ffurfiau cryno'r amodol yn defnyddio'r un rheolau treiglo â berfau cryno eraill:
Gwelech chi lawer o anifeiliaid. // Welech chi ddim llawer o anifeiliaid.

Gwnewch yr ymarferion hyn gyda'ch partner (Partner 1 i wneud y rhan gyntaf a phartner 2 yn ymateb):

1. Taswn i'n eistedd yn y cefn... ... welwn i ddim llawer o'r cyngerdd.
2. Tasai Mair yn eistedd yn y cefn ...
3. Tasai Nasir yn eistedd yn y cefn ...
4. Tasen ni'n eistedd yn y cefn ...
5. Tasai'r plant yn eistedd yn y cefn ...

Mae'r ferf **meiddio** (*to dare*) yn dilyn yr un patrwm. Gwnewch yr ymarfer hwn gyda'ch partner:

1. Dw i'n mynd ar streic. Feiddiet ti ddim!
2. Mae e'n mynd ar streic.
3. Mae hi'n mynd ar streic.
4. 'Dyn ni'n mynd ar streic.
5. Maen nhw'n mynd ar streic.

Er gwybodaeth, dyma'r ffurfiau **llenyddol**, **ffurfiol** ar gyfer y berfau afreolaidd. Byddwch chi'n gweld y ffurfiau hyn mewn rhai cylchgronau a llyfrau. Does dim rhaid i chi eu defnyddio, dim ond gallu eu hadnabod nhw os dewch chi ar eu traws.

Mynd	Dod	Cael	Gwneud
Awn	Down	Cawn	Gwnawn
Aet	Doet	Caet	Gwnaet
Âi	Dôi	Câi	Gwnâi
Aem	Doem	Caem	Gwnaem
Aech	Doech	Caech	Gwnaech
Aent	Doent	Caent	Gwnaent

I ddefnyddio'r **amodol** yn y **gorffennol**, cofiwch fod rhaid defnyddio'r geiriau **bod wedi** gyda berf gryno, fel hyn:

Hoffwn i fod wedi mynd.	*I would like to have gone.*
Gallen ni fod wedi ennill.	*We could have won.*
Dylai hi fod wedi gofyn.	*She should have asked.*
Hoffwn i ddim bod wedi mynd.	*I wouldn't have liked to have gone.*
Allen ni ddim bod wedi ennill.	*We couldn't have won.*
Ddylai hi ddim bod wedi gofyn.	*She shouldn't have asked.*

Gallwch chi ddefnyddio'r ffurf gwmpasog hefyd, e.e. 'Baswn i wedi hoffi mynd' ac ati.

Ymarfer

Rhowch y **ffurfiau cryno** yn lle'r **ffurfiau cwmpasog** yn y brawddegau hyn. Mae'r frawddeg gyntaf wedi'i gwneud i chi. Cofiwch y treigladau ar ôl berf gryno!

1. Baswn i'n hoffi cael ci, ond dw i'n gweithio oriau hir.
   Hoffwn i gael ci, ond dw i'n gweithio oriau hir.

   ....

2. Faswn i ddim yn gallu cadw anifail anwes yn y fflat yma.

   ....

3. Basai'r ci yn bwyta fy nghinio i tasai fe'n cael cyfle.

   ....

4. Basai hi'n hoffi cael cath, ond mae alergedd gyda hi i flew cath.

   ....

5. Does dim lle i gwningen yma ond baset ti'n gallu cael bochdew.

   ....

6. Faswn i ddim yn hoffi cael aderyn yn anifail anwes.

   ....

7. Basen nhw'n cerdded bob dydd tasai ci gyda nhw.

   ....

8. Baswn i wedi gallu mynd â'r ci am dro taset ti wedi gofyn i fi.

   ....

9. Baswn i wedi hoffi cael anifail anwes pan o'n i'n blentyn.

   ....

10. Fasen ni ddim wedi gallu ennill yn y sioe gŵn heb dy help di.

    ....

Gwylio a gwrando 1 – Canolfan Anifeiliaid Llys Nini

Byddwch chi'n gwylio fideo am Ganolfan Anifeiliaid Llys Nini.

1. Rhowch gylch o gwmpas y geiriau hyn pan fyddwch chi'n eu clywed nhw:
   drwy gydol **ailgartrefu** **delfrydol** **wrth reswm** **gofynion**
   darpar berchnogion **y math yna o beth** **dyblu**

2. Gyda'ch partner, esboniwch pam mae'r geiriau hyn yn cael eu dweud yn y fideo:
   mis Ionawr ....

   tad a mab ....

   delfrydol ....

3. Ar beth mae'r RSPCA yn edrych wrth baru anifail â pherchennog? Nodwch o leiaf **dri** pheth.
   ....
   ....
   ....

4. Mae'r cyflwynydd yn sôn am 'ofynion gofal' (*care requirements*). Allwch chi feddwl am ymadroddion eraill sy'n cynnwys y gair 'gofal'?
   ....
   ....

5. Byddwch chi hefyd yn clywed y cyflwynydd yn dweud 'darpar berchnogion' (*prospective owners*.) Mae 'darpar' yn ansoddair sy'n golygu *prospective, expectant* neu *to be*. Mae'n dod **cyn** yr enw bob amser, ac felly 'dyn ni'n treiglo'n feddal ar ei ôl. Beth, felly, yw:

prospective buyer	*husband to be*
....	....
expectant mother	*prospective student*
....	....
expectant parents	*prospective teachers*
....	....

Darllen

Gelert – Ci ffyddlon Llywelyn Fawr

Geirfa:

ffyddlon	**cerflun**	**hela**	**amddiffyn**	**mwytho**
meddwl mawr	**blinder**	**bedd**	**gwarchod**	**tystiolaeth**
crud	**milgi**	**gwirionedd**		

Gelert oedd ci Llywelyn Fawr, Tywysog Cymru (1173–1240). Tasech chi'n mynd i bentref hardd Beddgelert ger Llanberis yng ngogledd Cymru, gwelech chi ei fedd a **cherflun** ohono. Ond beth oedd mor arbennig am y ci hwn? Wedi'r cyfan, anifeiliaid i **hela** ac **amddiffyn** oedd cŵn amser maith yn ôl – nid anifeiliaid i'w **mwytho** ar y soffa. Doedd pobl ddim yn eu caru nhw fel 'dyn ni'n ei wneud heddiw ... nac oedden?

Wel, yn ôl y chwedl, roedd gan Llywelyn **feddwl mawr** o Gelert. Mae'r stori gynharaf amdano yn dod o'r bymthegfed ganrif. Yn y fersiwn yma, mae Gelert (neu 'Cilhart') yn marw o **flinder** ar ôl **hela** anifail am filltiroedd, ac mae Llywelyn yn ei gladdu mewn **bedd** arbennig.

Daeth fersiwn arall o'r stori yn boblogaidd yn y ddeunawfed ganrif a'r bedwaredd ganrif ar bymtheg. Yn hon, mae Llywelyn yn mynd i **hela** ac yn dweud wrth Gelert am **warchod** ei fab bach, sy'n cysgu mewn crud. Daw Llywelyn adref i weld y crud ar y llawr a gwaed ar geg Gelert. Mae'n credu bod Gelert wedi lladd ei fab, felly mae'n lladd Gelert yn y fan a'r lle. Ond yna, mae'n clywed sŵn ei fab yn crio ac yn gweld corff blaidd ar y llawr. Roedd Gelert wedi **amddiffyn** ei fab rhag y blaidd.

Mae chwedlau tebyg i hon gan lawer o wledydd eraill. Mae rhai'n credu taw perchennog gwesty'r Goat ym Meddgelert a gysylltodd y chwedl â'r pentref i ddenu twristiaid yno ar ddechrau'r bedwaredd ganrif ar bymtheg. Does dim sôn am Gelert a Llywelyn mewn hen farddoniaeth, nac mewn hen lyfrau am ardal Beddgelert.

Ond, mae ychydig o **dystiolaeth** ei bod hi'n hen stori Gymreig. Er enghraifft, dyma lun oedd gan Richard III, brenin Lloegr, i gynrychioli Cymru: **crud** aur a **milgi**.

Falle bod rhywfaint o **wirionedd** yn y stori. Beth dych chi'n feddwl?

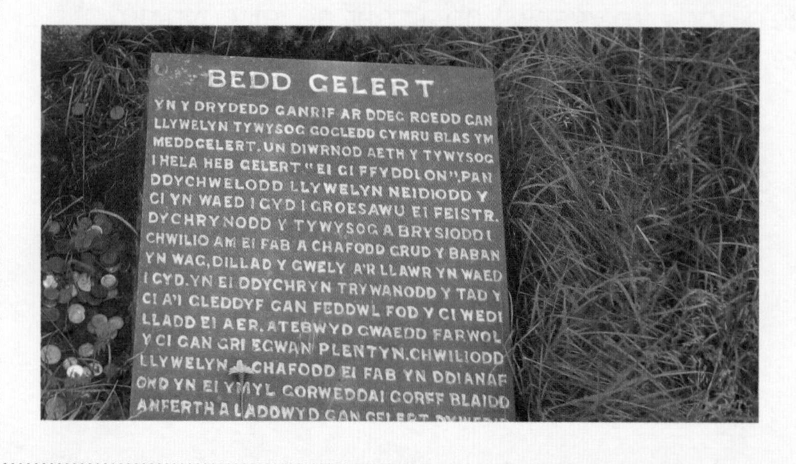

Gyda'ch partner...

1. Heb edrych yn ôl ar y stori, dwedwch stori Gelert a'r blaidd wrth eich gilydd.
2. Dych chi'n cofio ble dych chi wedi clywed y geiriau hyn yn y Cwrs Uwch o'r blaen? Trafodwch!

chwedl	yn y fan a'r lle	blaidd

3. Llwyddodd Gelert i '**amddiffyn** ei fab **rhag** y blaidd'.
   'Dyn ni'n defnyddio **rhag** gyda berfau eraill. Trafodwch beth yw ystyr yr enghreifftiau isod ac ysgrifennwch frawddeg yn defnyddio pob un.

   atal rhag ....

   dianc rhag ....

   gwahardd rhag ....

4. Mae un enghraifft o'r amodol cryno yn y darn. Dych chi'n gallu ei ffeindio?

   ....

5. Roedd gyda Llywelyn 'feddwl mawr' o Gelert. Oes gyda chi 'feddwl mawr' o rywun? Siaradwch amdano fe / amdani hi (neu efallai fod gyda chi 'feddwl mawr' o'ch anifail anwes hefyd!).

Rhestr wirio

Dw i'n gallu...

defnyddio berfau amodol cryno.	
siarad am anifeiliaid anwes.	

Uned 22 – Teithio Cymru

Nod yr uned hon yw...
- Ymarfer defnyddio **byth** ac **erioed**
- Siarad am lefydd diddorol yng Nghymru
- Dysgu geirfa ac idiomau newydd

Geirfa

cangen (canghennau)	*branch(es)*
chwarel(i)	*quarry (quarries)*
dynolryw	*mankind*
hunaniaeth	*identity*
pendro (y bendro)	*vertigo, dizziness*
treftadaeth	*heritage*

adfail (adfeilion)	*ruin(s)*
anialwch	*desert, waste, wilderness*
generadur(on)	*generator(s)*
syndod	*surprise, amazement*

adfer	*to restore; to rehabilitate*
ymddangos	*to appear, to seem*

adnabyddus	*renowned, well-known*
amlyca(f)	*most prominent*
arwyddocaol	*significant*
diwydiannol	*industrial*
nodedig	*notable, remarkable*
Normanaidd	*Norman*
Sioraidd	*Georgian*

gadael eu hôl	*to leave a (their) trace*
yn gyffredinol	*generally*
yn hytrach (na/nag)	*rather (than)*

Geiriau pwysig i fi

× .... × ....

× .... × ....

Deialogau – byth ac erioed

A: Wyt ti erioed wedi bod ar gopa'r Wyddfa?

B: Nac ydw, erioed. Wyt ti?

A: Ydw, ond af i byth yno eto.

B: Pam? Mae'r olygfa'n wych, on'd yw hi?

A: Ydy. Ond dw i erioed wedi bod mor dost.

B: Beth oedd yn bod? Fwytaist ti rywbeth anarferol?

A: Naddo. Fydda i byth yn bwyta bwydydd anarferol. Pwl o'r bendro oedd e.

B: Ife?

A: Do'n i byth yn dioddef o'r bendro pan o'n i'n iau.

B: Druan â ti. Diolch byth, dw i erioed wedi cael y bendro.

A: Gwelais i Lyn yn y cyfarfod. Roedd hi mor bigog ag erioed.

B: Dyw'r fenyw yna byth yn newid.

A: Roedd Sam yno hefyd – yn edrych yn dda. Do'n i erioed wedi'i weld e'n edrych cystal.

B: Faset ti byth yn meddwl ei fod e wedi bod yn dost. Chlywais i erioed mohono fe'n cwyno.

A: Ti'n iawn. Cawson ni fwffe hyfryd. Y bwffe gorau erioed.

B: Ti'n lwcus. 'Dyn ni byth yn cael bwffe yn ein cyfarfodydd ni.

A: Nac ydych. Ond mae Gwil yn dod â *brownies* i chi, cofia. Dw i erioed wedi blasu *brownies* cystal â rhai Gwil.

Help llaw

Byth	Erioed
Mewn brawddeg negyddol: byth = *never* Dw i byth yn bwyta caws. Mewn cwestiwn: byth = *ever* Wyt ti byth yn bwyta caws? Diolch byth = *thank goodness* Sylwch: 'dyn ni byth yn treiglo **byth** e.e. Cymru am byth!	Mewn brawddeg negyddol: erioed = *never* Dw i erioed wedi byw yng Nghymru. Mewn cwestiwn: erioed = *ever* Wyt ti erioed wedi byw yng Nghymru? Mewn brawddeg gadarnhaol: erioed = *always* Dw i wedi byw yng Nghymru erioed. mor .... ag erioed = *as .... as ever*
'Dyn ni'n defnyddio byth gyda'r... **Presennol** Dyw'r fenyw yna byth yn newid. (*never*) **Dyfodol** Af i byth yno eto. (*never*) **Amherffaith** Do'n i byth yn dioddef o'r bendro pan o'n i'n iau. *(never)* **Amodol** Faset ti byth yn meddwl ei fod e wedi bod yn dost. (*never*)	**'Dyn ni'n defnyddio erioed gyda'r** **Gorffennol** Chlywais i erioed mohono fe'n cwyno. (*never*) **Perffaith** Wyt ti erioed wedi bod ar gopa'r Wyddfa? (*ever*) Dw i erioed wedi bod ar gopa'r Wyddfa. (*never*) **Gorberffaith** Do'n i erioed wedi'i weld e'n edrych cystal. (*never*)

Ymarfer

Heb edrych yn ôl, llenwch y bylchau yn y deialogau gyda'ch partner.

Wyt ti .... wedi bod ar gopa'r Wyddfa?

Nac ydw .... Wyt ti?

Ydw, ond af i .... yno eto.

Pam? Mae'r olygfa'n wych, on'd yw hi?

Ydy. Ond dw i .... wedi bod mor dost.

Beth oedd yn bod? Fwytaist ti rywbeth anarferol?

Naddo. Fydda i .... yn bwyta bwydydd anarferol. Pwl o'r bendro oedd e. Ife?

Do'n i .... yn dioddef o'r bendro pan o'n i'n iau.

Druan â ti. Diolch ...., dw i erioed wedi cael y bendro.

Gwelais i Lyn yn y cyfarfod. Roedd hi mor bigog ....

Dyw'r fenyw yna .... yn newid.

Roedd Sam yno hefyd – yn edrych yn dda. Do'n i .... wedi'i weld e'n edrych cystal.

Faset ti .... yn meddwl ei fod e wedi bod yn dost.

Chlywais i .... mohono fe'n cwyno.

Ti'n iawn. Cawson ni fwffe hyfryd. Y bwffe gorau ....

Ti'n lwcus. 'Dyn ni .... yn cael bwffe yn ein cyfarfodydd ni.

Nac ydych. Ond mae Gwil yn dod â brownies i chi, cofia. Dw i .... wedi blasu brownies cystal â rhai Gwil.

Gwylio a gwrando 1

3 Lle: Sean Fletcher ym Mro Gŵyr

Geirfa: hunaniaeth

Gyda'ch partner, atebwch y cwestiynau:

- Sut mae Sean Fletcher yn disgrifio Bae Tor?

....

- Pam mae Bae Tor yn bwysig iddo fe?

....

- Beth mae Sean Fletcher yn ei ddweud am y profiad o ddysgu Cymraeg?

....

Pam gwnaethoch chi ddysgu Cymraeg? Siaradwch am eich profiadau chi'n dysgu'r iaith gyda'ch partner.

Darllen

***Cymru: Y 100 lle i'w gweld cyn marw* gan John Davies a Marian Delyth (Y Lolfa, 2009)**

ymddangos	**adnabyddus**	**yn hytrach**	**dynolryw**
gadael eu hôl	**hanesyddol**	**syndod**	**treftadaeth**
adfail (adfeilion)			

Mae traethau a mynyddoedd Cymru yn **ymddangos** yn aml mewn rhestri o'r llefydd harddaf yn y byd. Ond nid golygfeydd **adnabyddus** o Eryri a sir Benfro sydd yn y llyfr yma. **Yn hytrach**, mae'r hanesydd Dr John Davies a'r ffotograffydd Marian Delyth wedi canolbwyntio ar 'ffrwyth gwaith **dynolryw**', sef llefydd mae pobl wedi **gadael eu hôl** arnyn nhw mewn rhyw ffordd. Felly, byddwch chi'n dod o hyd i'r rhan fwyaf o'r 100 lle mewn ardaloedd poblog yn y de-ddwyrain, sydd ddim fel arfer yn denu llawer o dwristiaid. Mae'r llyfr yn dangos bod pob math o adeiladau **hanesyddol** a hardd yng Nghymru – nid dim ond cestyll.

Treuliodd Dr John Davies y rhan fwyaf o'i fywyd yng Ngheredigion. Ond, cafodd ei eni yn y Rhondda a dyna lle'r oedd e'n byw tan oedd e'n saith oed. Does dim **syndod** felly taw'r lle pwysicaf iddo fe o'r 100 lle yn y llyfr yw Parc **Treftadaeth** Cwm Rhondda.

1. Yn y darn, mae **canolbwyntio ar.** Nodwch ddau ferfenw arall sy'n cael eu dilyn gan yr arddodiad **ar**.

....

2. Dych chi'n cofio beth yw ystyr y geiriau isod? Cyfieithwch nhw:

poblog .... poblogaidd ....

poblogaeth ....

Siaradwch – Edrychwch ar restr y 100 lle sydd yn y llyfr.

- Dych chi erioed wedi bod yn rhai o'r llefydd hyn?
- Oes llefydd pwysig ar goll o'r rhestr, yn eich barn chi?
- Pa fath o lefydd dych chi'n hoffi ymweld â nhw: llefydd o harddwch naturiol neu lefydd lle mae adeiladau neu **adfeilion** diddorol?

Y 100 lle i'w gweld cyn marw

1 Mynydd Parys ac Amlwch
2 Barclodiad y Gawres a Bryn-celli-ddu
3 Biwmares
4 Pontydd Menai
5 Bangor
6 Caernarfon
7 Tre'r Ceiri
8 Llanberis
9 Gwydir
10 Bodnant
11 Conwy
12 Rhuddlan a Llanelwy
13 Dinbych
14 Treffynnon
15 Ewlo a Phenarlâg
16 Yr Wyddgrug
17 Gresffordd
18 Y Bers ac Erddig
19 Wrecsam
20 Y Waun
21 Pont Cysyllte
22 Llangollen
23 Rhuthun
24 Penllyn a'r Bala
25 Blaenau Ffestiniog
26 Portmeirion
27 Harlech
28 Pennant Melangell
29 Y Trallwng
30 Trefaldwyn
31 Y Drenewydd
32 Canolfan y Dechnoleg Amgen
33 Aberystwyth
34 Aberaeron
35 Ystrad-fflur
36 Llananno
37 The Pales
38 Llanandras
39 Talgarth
40 Llangors
41 Tretŵr
42 Aberhonddu
43 Y Garn Goch a Chastell Carreg Cennen
44 Llandeilo a Dinefwr
45 Aberteifi
46 Foel Drygarn
47 Pentre Ifan
48 Tyddewi
49 Hwlffordd
50 Penfro
51 Llandyfái a Maenorbîr
52 Dinbych-y-pysgod
53 Hendy-gwyn
54 Caerfyrddin
55 Yr Ardd Fotaneg Genedlaethol
56 Llanelli
57 Abertawe
58 Y Mwmbwls
59 Treforys
60 Gwaelodion Cwm Tawe
61 Castell-nedd
62 Margam
63 Cynffig a'i chyffiniau
64 Ewenni
65 Llanilltud Fawr
66 Y Barri
67 Hen Fewpyr
68 Castell Caerdydd
69 Parc Cathays
70 Bae Caerdydd
71 Llandaf
72 Sain Ffagan
73 Y Castell Coch
74 Caerffili
75 Pontypridd
76 Parc Treftadaeth Cwm Rhondda
77 Treflun y Rhondda
78 Aberdâr
79 Aber-fan
80 Merthyr Tudful
81 Dowlais
82 Y Drenewydd (Butetown)
83 Tredegar
84 Bryn-mawr
85 Canol Casnewydd
86 Cyrion Casnewydd
87 Gwastadeddau Gwent
88 Caerllion
89 Cwmbrân
90 Pont-y-pŵl
91 Blaenafon
92 Y Fenni
93 Llanddewi Nant Hodni
94 Y Teirtref
95 Rhaglan
96 Tryleg
97 Tyndyrn
98 Caer-went
99 Yr Ail Groesfan ar draws Aber Afon Hafren
100 Cas-gwent

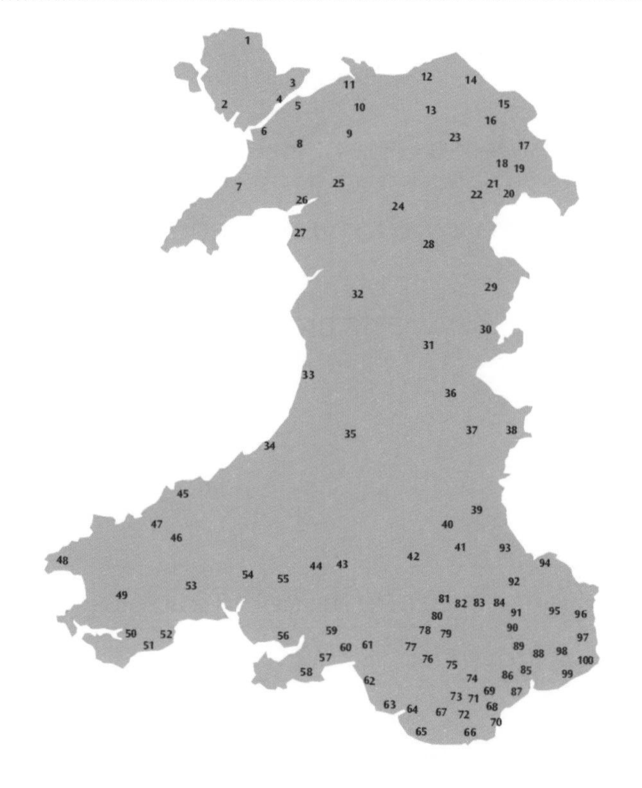

Gwylio a gwrando 2

Codi Pac: Castell Aberteifi

Geirfa: porthladd yn gyffredinol adfer anialwch Sioraidd Normanaidd

Ar ôl gwylio'r fideo, llenwch y bylchau hyn gyda'ch partner:

1. Aberteifi oedd .... mwya Prydain ar ôl Lerpwl a Llundain.
2. Castell Aberteifi yw adeilad .... Aberteifi.
3. Yn 2003, ... Cyngor Sir Ceredigion safle Castell Aberteifi.
4. .... y Castell wobr Prosiect **Adfer** y Flwyddyn Sianel Pedwar.
5. Y Normaniaid .... y castell cyntaf ar y safle yn 1093.
6. Mae Castell Aberteifi yn enwog achos dyma lle cafodd yr Eisteddfod gyntaf .... ei chynnal.
7. .... yr Arglwydd Rhys i Aberteifi yn 1171.
8. Yr Arglwydd Rhys oedd y .... cyntaf i adeiladu castell o gerrig.
9. Gorffennodd e adeiladu'r castell yn 1176 ac i .... hynny, cynhaliodd e eisteddfod.
10. Daeth .... o bobl i eisteddfod yr Arglwydd Rhys.

Siaradwch

Mae'r rhaglen yn dangos ymweliad Geraint Hardy â thref Aberteifi.

- Ble arall dych chi'n meddwl y dylai fe fynd? Meddyliwch am dref arall yng Nghymru.
- Beth sydd i'w wneud yno? Ble dylai fe aros? Esboniwch eich dewis wrth weddill y dosbarth.

Rhestr wirio

Dw i'n gallu...

deall y gwahaniaeth rhwng *byth* ac *erioed* a'u defnyddio'n gywir.	
trafod gwahanol lefydd yng Nghymru.	

Uned 23 – Mynd allan am fwyd

Nod yr uned hon yw...
- Adolygu cyffredinol
- Trefnu mynd allan am bryd o fwyd
- Dysgu geirfa ac idiomau newydd

Geirfa

chwedl ddinesig (chwedlau dinesig)	*urban myth(s)*
eirinen (eirin)	*plum(s)*
gyrfa(oedd)	*career(s)*
llugaeronen (llugaeron)	*cranberry (-berries)*
rhagfarn(au)	*prejudice(s)*

adolygiad(au)	*review(s)*
agoriad llygad	*eye-opener*
awyrgylch	*atmosphere*
carw (ceirw)	*deer*
cymhwyster (cymwysterau)	*qualification(s)*
diferyn (diferion)	*drop(s)*
diweddglo	*ending*
gwendid(au)	*weakness(es)*
perlysieuyn (perlysiau)	*herb(s)*
riwbob	*rhubarb*
rhiniog(au)	*threshold(s)*

ciniawa	*to dine*
goruchwylio	*to supervise*
hawlio'r penawdau	*to claim the headlines*
hyfforddi	*to train*

bythgofiadwy	*unforgetable*
trawsffurfiol	*transformational*

dan glo	*under lock and key*
nid ar chwarae bach...	*it's no mean feat.. / is no easy task*

Geiriau pwysig i fi

.... ×..................... ×.....................

.... ×..................... ×.....................

Adolygu

Defnyddiwch yr ymadroddion hyn i aralleirio'r brawddegau isod. Efallai bydd angen treiglo neu wneud newidiadau eraill.

gadael eu hôl	**meddwl mawr**	**perchennog**	**wrth reswm**
yn hytrach na	**y math yna o beth**	**ochr yn ochr**	**ar fy liwt fy hun**
llawn cystal	**dyblu**		

1. Dw i ddim yn hoffi pethau fel yr *X Factor* ar y teledu.
   Dw i ddim yn hoffi'r *X Factor* a'r .... ar y teledu.
2. Wnaeth hi ddim dewis y cig oen, dewisodd hi'r pryd llysieuol.
   Dewisodd hi'r pryd llysieuol .... 'r cig oen.
3. Mae'r darten afal yn hyfryd iawn a'r pwdin taffi hefyd.
   Mae'r darten afal yn hyfryd iawn ac mae'r pwdin taffi......................
   ....
4. Mae prisiau tai yn yr ardal ddwywaith cymaint ag ro'n nhw ddeng mlynedd yn ôl.
   Mae prisiau tai yn yr ardal wedi .... dros y deng mlynedd diwethaf.
5. Mae'r rheolwr yn meddwl bod Sam Pascales yn chwaraewr ifanc da iawn.
   Mae gan y rheolwr .... o'r chwaraewr ifanc, Sam Pascales.
6. Mae Siân yn hunangyflogedig.
   Mae Siân yn gweithio ....
7. Dych chi'n gallu gweld bod beiciau modur wedi bod ar y llwybr.
   Mae beiciau modur wedi .... ar y llwybr.
8. Does dim rhaid dweud bod yr ysgyfarnog yn gallu rhedeg yn gyflymach na'r crwban.
   .... mae'r ysgyfarnog yn gallu rhedeg yn gyflymach na'r crwban.
9. Wnaiff pwy bynnag sydd biau'r Ford Fiesta coch sydd wedi'i barcio o flaen y drws ei symud ar unwaith os gwelwch yn dda?
   Wnaiff .... y Ford Fiesta coch sydd wedi'i barcio o flaen y drws ei symud nawr os gwelwch yn dda?
10. Safodd pob aelod o'r tîm wrth ochr ei gilydd i wynebu'r *Haka* cyn y gic gyntaf.
    Safodd pob aelod o'r tîm .... i wynebu'r *Haka* cyn y gic gyntaf.

Darllenwch y parau yma o frawddegau gyda'ch partner, ac wedyn addaswch y brawddegau trwy newid yr elfen sydd wedi'i thanlinellu yn y frawddeg ar y chwith. Mae un enghraifft wedi ei dangos i chi.

Dw i wedi bwcio bord i ni yn y Llew Aur nos Wener.	Da iawn, Dw i'n siŵr y cawn ni fwyd hyfryd.
e.e. Dw i wedi bwcio bord iddyn nhw yn y Llew Aur nos Wener.	Da iawn, dw i'n siŵr y cân nhw fwyd hyfryd.
Maen nhw'n mynd i Casa Gigio eto nos fory.	Dwedon nhw eu bod nhw'n hoff iawn o fwyd Eidalaidd.
Wnaeth hi ddim mwynhau yn Nhŷ Bwyta'r Ardd?	Naddo, ddim o gwbl! Dwedodd e taw dyna'r pryd gwaetha iddi hi ei gael erioed!
Dw i ddim wedi bod yn y Crochan Aur ers i'r perchnogion newydd gymryd drosodd.	Nac wyt ti? Dw i'n credu y synnet ti faint sydd wedi newid yno.
Doedd e ddim yn cofio fy mod i ddim yn bwyta cig.	Dylai fe fod wedi cofio hynny.

Storom Eirfa – Mynd allan am fwyd

Ysgrifennwch o leiaf 10 gair yn y blwch:

Darllen

Mae'r ffrwythau hyn yn cael eu henwi yn y darn darllen isod:

llugaeron **mango** **riwbob** **eirin**

Pa ffrwythau dych chi'n eu bwyta? Pa un yw eich hoff ffrwyth?

The Clink

'Gadewch eich rhagfarnau ger y drws, a phrofwch bŵer trawsffurfiol pryd o fwyd.'

Do'n i erioed wedi bod yn y carchar o'r blaen, cyn cael cinio ym mwyty *The Clink* – **agoriad llygad** o brofiad. Roedd y bwyty wedi **hawlio'r penawdau** yn ddiweddar wedi iddo gyrraedd deg uchaf Trip Advisor ledled Prydain.

Nid ar chwarae bach mae rhywle fel hwn yn cadw cwmni i Michel Roux a Raymond Blanc, a bu'n rhaid i mi fynd i brofi'r bwyty yng Ngharchar Caerdydd. Agorodd *The Clink* yn 2012, ger mynedfa Carchar Caerdydd. Mae'r rhan fwyaf o'r gweithwyr – o'r cogyddion i'r gweinyddwyr – yn garcharorion Categori D. Yn eu **goruchwylio** i gyd mae Chef Royston Somersall o ddociau Caerdydd. Er nad oes ganddo brofiad o gwbl o garchar, bu ei dad **dan glo** ers blynyddoedd.

O'r eiliad y croesais i **riniog** *The Clink*, ces fy synnu gan ansawdd y lle; o'r croeso a'r décor, i gerddoriaeth Ella Fitzgerald. Clywais **chwedl ddinesig** mai cyllyll a ffyrc plastig a geir yno ond nonsens pur yw hynny; roedd pob bwrdd wedi'i osod i'r un safon â bwytai gorau'r ddinas. Yn wir, yr unig wahaniaeth mawr rhwng *The Clink* a bwytai eraill Caerdydd yw nad oes un **diferyn** o alcohol yn cael ei weini yno. Oherwydd hynny, archebais mocktail y dydd, oedd yn cynnwys mango, **llugaeron** a sinamon. Ar ôl y cyflwyniad blasus hwnnw, ces i bryd tri chwrs ardderchog.

Tyfir y ffrwythau, y llysiau a'r **perlysiau** a weinir yn y bwyty yng ngerddi carchardai Prescoed a Chaerdydd. Chewch chi ddim byd mwy lleol a blasus na'r Salad Hydref a archebais fel cwrs cyntaf mewn unrhyw fwyty yng Nghaerdydd. Roedd cig **carw** fy ail gwrs yn berffaith – yn binc yn y canol, wedi'i ffrio'n ysgafn, ac fe doddodd yn fy ngheg gyda'r tatws a'r llysiau rhost. Yr unig **wendid** i mi oedd y tortelloni diflas oedd gyda fe. Ond roedd y pwdin wedyn yn ardderchog hefyd; tarten **eirin** a **riwbob** gyda sorbet sinsir. **Diweddglo** campus i bryd bwyd o safon uchel iawn.

Ond beth wnaeth y pryd yn 'brofiad arbennig' oedd proffesiynoldeb a chwmni diddorol y staff; roedd nifer yn siarad yn agored am eu bywydau **dan glo**, a pham roedden nhw yno. Y gobaith i'r rhan fwyaf yw gadael y carchar gyda **chymhwyster** a dilyn **gyrfa** yn y maes a 'dyn nhw ddim yn debygol o ddychwelyd i'r carchar wedi cael cyfle o'r fath. Gadewch eich **rhagfarnau** ger y drws, a phrofwch bŵer **trawsffurfiol** pryd o fwyd; nid gimic mo'r *Clink*, ond profiad **bythgofiadwy**, i bawb.

(Addasiad o erthygl o wefan Lowri Haf Cooke – www.lowrihafcooke.wordpress.com)

1. Llenwch y bylchau cyn y gair sydd ar y dde gyda'r gair mwyaf addas o'r rhestr ar y chwith:

tarten	....	reis
tatws	....	llawn
wy	....	riwbob
brecwast	....	oren
brechdan	....	gleision
sudd	....	wedi'i ferwi
cregyn	....	rhost
pwdin	....	gaws

Pa rai o'r bwydydd hyn dych chi'n eu bwyta'n aml?

2. Nid ar chwarae bach mae rhywle fel hwn yn **cadw cwmni i** Michel Roux a Raymond Blanc.

Sut mae dweud:

He is keeping me company. ....

I am keeping her company. ....

They are keeping us company. ....

3. 'Dyn nhw ddim **yn debygol o** ddychwelyd i'r carchar.

Yn debygol **o** = likely **to**

Sut mae dweud:

He is sure to have a dessert. ....

I'm glad to accept. ....

I tend to eat lots of fish. ....

I am determined to pass. ....

Siaradwch

- Pryd bwytoch chi allan ddiwetha?

Rhowch farciau rhwng 1 a 5 (1 = ofnadwy, 5 = ardderchog) am yr elfennau canlynol:

Lleoliad	1 O	2 O	3 O	4 O	5 O
Gwasanaeth	1 O	2 O	3 O	4 O	5 O
Bwydlen/Dewis	1 O	2 O	3 O	4 O	5 O
Safon y bwyd	1 O	2 O	3 O	4 O	5 O
Gwerth am arian	1 O	2 O	3 O	4 O	5 O

- Oes hoff fwyty gyda chi? Pam?
- Beth sy'n bwysig i chi wrth ddewis bwyd mewn bwyty? Dych chi'n tueddu i ddewis yr un bwyd bob tro?
- Sut mae arferion bwyta allan pobl wedi newid?

Gwylio a gwrando – *The Clink*

Dych chi wedi darllen darn Lowri Haf Cooke am fwyty *The Clink*. Nawr, byddwch chi'n gweld fideo sy'n dangos ymweliad Lowri a Llinos Lee o raglen *Heno* â'r bwyty.

1. Rhowch gylch o gwmpas y geiriau hyn pan fyddwch chi'n eu clywed nhw:

poblogaidd **hyfforddi** **adolygiadau** **ciniawa** **cynhwysion**
bwydlen **awyrgylch** **adlewyrchu** **uchelfannau**

2. Beth mae Lowri'n ei wneud i gylchgronau *Red Handed, Y Dinesydd* a *Barn*?

....

3. Pam roedd Lowri'n arbennig o ddiolchgar i Llinos am y gwahoddiad?

....

4. Gyda'ch partner, esboniwch pam mae'r rhifau yma'n cael eu dweud yn y fideo:

6-18 ....

500 ....

5. Pwy sy'n bwyta beth? Gyda'ch partner, rhowch y bwydydd yma yn y lle iawn yn y tabl.

caws brie **tarten eirin** **tarten siocled**
salad hydrefol **cig carw**

	Llinos	Lowri
cwrs cyntaf		
prif gwrs		
pwdin		

'Dyn ni ddim yn clywed beth gafodd Llinos yn ei phrif gwrs. Beth dych chi'n meddwl yw e? (Edrychwch ar y fideo.)

....

6. Beth yw barn Lowri am brisiau'r bwyd yn *The Clink*?

....

Deialog

Cymerwch un o rannau'r ddeialog a'i hymarfer gyda'ch partner. Ar ôl ymarfer, ceisiwch ailadrodd cymaint ag sy'n bosib heb edrych ar y sgript!

Dai: O Siân, fan hyn rwyt ti! Dw i wedi bod yn chwilio amdanat ti.

Siân: Beth sy'n bod, Dai?

Dai: Mae'r dosbarth wedi gofyn i fi drefnu mynd ma's am bryd o fwyd wythnos nesa.

Siân: Grêt. Ble 'dyn ni'n mynd?

Dai: Dyna'r broblem. Sa i'n gwybod ble dylen ni fynd. Oes unrhyw awgrymiadau 'da ti?

Siân: Beth am Tandoori Glanyrafon? Dw i wedi clywed bod y bwyd yno'n hyfryd.

Dai: Ydy, dw i'n gwybod, ond so Mair yn lico cyrri.

Siân: Wela i. Beth am Dafarn y Felin? Maen nhw'n dweud bod hwnnw'n lle neis.

Dai: Mae'r gerddoriaeth yn rhy uchel yno; byddwn ni eisiau sgwrsio on' byddwn ni?

Siân: O, byddwn, wrth gwrs. Beth am Fwyty'r Hen Fanc, 'te? Mae'n dawel ac mae'r bwyd yn dda.

Dai: Ydy, ond mae'n ddrud iawn. Sa i'n credu y bydd pawb eisiau gwario cymaint.

Siân: Ocê. Beth am y Bistro Bach? Dw i'n meddwl bod y prisiau'n ddigon rhesymol yno.

Dai: Ydyn, ond mae'n lle bach iawn. Sa i'n credu y byddai digon o le i ni.

Siân: Dw i ddim yn gwybod ble arall galla i ei gynnig, 'te.

Dai: Dw i'n gwybod. Awn ni i'r Pelican Glas.

Siân: Syniad gwych – mae dewis da o fwyd yno, mae'r prisiau'n rhesymol, mae'n lle hyfryd a bydd digon o le i bawb.

Dai: Diolch yn fawr am dy help, Siân. Sa i'n gwybod beth baswn i'n wneud hebddot ti!

Siaradwch

Trefnu mynd allan am bryd o fwyd

- Pa fath o fwyd mae pawb yn ei hoffi?
- I ble dych chi eisiau mynd a phryd?
- Beth yw'r cynllun wrth gefn os nad yw hynny'n bosib – newid lleoliad, neu newid amser/dyddiad?
- Pwy sy'n mynd i gysylltu â'r lleoliad?
- Pwy fydd yn cofnodi dewis pawb o'r fwydlen ac yn casglu arian (os oes angen rhoi blaendal)?

Rhestr wirio
Dw i'n gallu...

trafod prydau bwyd a phrofiadau wrth fwyta allan.	
trafod trefniadau mynd allan am fwyd gyda grŵp.	
cofio a defnyddio mwy o eiriau ac idiomau.	

Uned 24 – Cyfathrebu

Nod yr uned hon yw...
- Ymarfer defnyddio **hwn, hon** a **hyn**
- Siarad am wahanol ffyrdd o gyfathrebu
- Dysgu geirfa ac idiomau newydd

Geirfa

aelwyd(ydd)	*fireside(s), hearth(s); household(s)*
gweledigaeth(au)	*vision(s)*

brigyn (brigau)	*twig(s), branch(es)*
diffyg(ion)	*lack, shortcoming(s)*
mentergarwch	*entrepreneurship*
unigrwydd	*loneliness*

diweddaru	*to update*
lleihau	*to reduce, to minimise, to lessen*

cydweithredol	*co-operative*
chwyldroadol	*revolutionary*
marwaidd	*dead*

mwyfwy	*more and more, increasingly*
yn ei anterth	*in his prime*

Geiriau pwysig i fi

× .... × ....

× .... × ....

Ymarfer – hwn, hon, hyn, y rhain

Mae'r bwrdd hwn yn grwn.	Mae hwn yn grwn.
Mae'r llyfr hwn yn dda.	....
Mae'r cyfrifiadur hwn yn newydd.	....
Mae'r bag hwn yn drwm.	....
Mae'r gadair hon yn galed.	Mae hon yn galed.
Mae'r got hon yn wlyb.	....
Mae'r ffeil hon yn ysgafn.	....
Mae'r ffenest hon yn frwnt.	....
Mae'r dillad hyn yn ffasiynol.	Mae'r rhain yn ffasiynol.
Mae'r bisgedi hyn yn hyfryd.	....
Mae'r losin hyn yn felys.	....
Mae'r pensiliau hyn yn anobeithiol.	....

Gyda'ch partner, meddyliwch am enw yn lle'r rhain:

Mae'r rhain yn flasus.	Mae'r selsig hyn yn flasus.
Mae hwn yn fawr.	....
Mae hon yn lân.	....
Mae hon yn ifanc.	....
Mae'r rhain yn dda.	....
Mae hwn yn ofnadwy.	....
Mae'r rhain yn oer.	....
Mae hwn yn gryf.	....

<table>
<tr><th colspan="5">this / these yn Gymraeg</th></tr>
<tr><th></th><th>gwrywaidd</th><th>benywaidd</th><th>lluosog</th><th>haniaethol</th></tr>
<tr><td>annibynnol
(anffurfiol a ffurfiol)</td><td>hwn

Mae hwn yn ddyn prysur.</td><td>hon

Mae hon yn fenyw alluog.</td><td>y rhain

Mae'r rhain yn anifeiliaid peryglus.</td><td>hyn

Mae hyn yn amhosib.

Bydd hyn yn broblem.

Ar hyn o bryd.</td></tr>
<tr><td>disgrifio
(anffurfiol)</td><td colspan="3">y ... yma

Mae'r bwyd yma'n hallt.

Mae'r gath yma'n byw drws nesa.

Mae'r sanau yma'n frwnt.</td><td></td></tr>
<tr><td>disgrifio
(ffurfiol)</td><td>y ... hwn

Mae'r bwyd hwn yn hallt.

Basai'r llun hwn yn berffaith yn y lolfa.</td><td>y ... hon

Mae'r gath hon yn byw drws nesaf.

Roedd y ffrog hon yn hanner pris.</td><td>y ... hyn

Mae'r hosanau hyn yn frwnt.

Dyw'r lluniau hyn ddim yn glir.</td><td></td></tr>
</table>

Mae hyn yn hawdd. Mae hynny'n anodd. ....

Mae hyn yn bosib. ....

Mae hyn yn bwysig. ....

Mae hyn yn arferol. ....

Rhaid i fi bobi teisen. Mae hynny'n hawdd.......

Mae fy chwaer newydd gael babi. ....

Dw i'n gorfod gweithio tan 11 o'r gloch heno. ....

Dw i'n moyn trio nofio o Gymru i Batagonia. ....

Rhaid i fi orffen fy ngwaith i gyd heddiw. ....

Rhaid i fi dalu dwbl achos ro'n i'n hwyr yn talu. ....

Dw i wedi ennill gwyliau yn Sbaen. ....

<table>
<tr><th colspan="5">that / those yn Gymraeg</th></tr>
<tr><th></th><th>gwrywaidd</th><th>benywaidd</th><th>lluosog</th><th>haniaethol</th></tr>
<tr><td>annibynnol
(anffurfiol)</td><td>hwnna

Mae hwnna'n lle braf.</td><td>honna

Mae honna'n dre ddiflas.</td><td>y rheina

Mae'r rheina'n blant da.</td><td rowspan="2">hynny

Mae hynny'n anodd.

Dw i heb glywed am hynny.

Hynny yw...</td></tr>
<tr><td>annibynnol
(ffurfiol)</td><td>hwnnw

Mae hwnnw'n lle braf.

Beic fy mrawd yw hwnnw.</td><td>honno

Mae honno'n dref ddiflas.

Cadair fy mrawd yw honno.</td><td>y rheini

Mae'r rheini'n blant da.</td></tr>
<tr><td>disgrifio
(anffurfiol)</td><td colspan="3">y ... yna

Gaeth e ei eni yn y pentre yna.

Roedd y gân yna'n dda.

Maen nhw'n hoff o'r syniadau yna.</td><td></td></tr>
</table>

that / those yn Gymraeg				
	gwrywaidd	**benywaidd**	**lluosog**	**haniaethol**
disgrifio (ffurfiol)	**y ... hwnnw** Cafodd ei eni yn y pentref hwnnw. Tryfan yw enw'r mynydd hwnnw.	**y ... honno** Roedd y gân honno'n dda. Gawsoch chi ateb i'r broblem honno?	**y ... hynny** Maen nhw'n hoff o'r syniadau hynny. Pwy yw'r bobl hynny?	

Gyda'ch partner, ysgrifennwch y paragraff yn fwy ffurfiol:

Pan o'n i'n blentyn, ro'n i'n sgrifennu llythyrau'n aml. Mae'r llythyrau 'ma yn dal i fod 'da fi mewn drâr yn rhywle. Ond y dyddiau 'ma, mae pawb yn cyfathrebu heb godi beiro – ffôn, tecst, trydar, Instagram. Beth nesa? Sai'n gwybod. Ble bydd hyn yn bennu? Fydd neb yn siarad â'i gilydd yn y dyfodol! Drato – ble mae'r ffôn 'na 'di mynd?

....

....

....

....

....

....

....

....

Gwylio a gwrando

Byddwch chi'n gwylio Mali Thomas yn siarad am ap Yr Urdd ar gyfer Eisteddfod Genedlaethol yr Urdd ar raglen *Heno*.

Geirfa:

diweddaru	**amserlen**	**gweithgareddau**	**rhagbrofion**
cledr y llaw	**canmol**		

Cywir neu Anghywir? Rhowch √ neu X ar y llinell.

Bydd rhaglenni'n dangos holl gystadlaethau Eisteddfod yr Urdd ar BBC2. ....

Mae'r ap yn un newydd sbon. ....

Mae'n bosib gweld fideos o'r cystadlaethau ar yr ap. ....

Mae hi'n bosib creu amserlen bersonol. ....

Mae'r bobl ifainc yn gallu gweld pwy fydd yn cystadlu yn eu herbyn. ....

Mae'r ap yn ddefnyddiol i wybod pa mor dwym fydd hi. ....

Dyw pobl ddim yn hoffi'r ap. ....

Siaradwch

- Dych chi'n defnyddio apiau?
- Dych chi wedi bod i Eisteddfod yr Urdd?

Darllen

Ar-lein, ar ei hôl hi?

Gan Iwan Williams, sy'n gweithio i Gomisiynydd Pobl Hŷn Cymru
(Addasiad o erthygl o *BBC Cymru Fyw*, 22 Mehefin 2017)

Geirfa: diffyg diweddaru aelwyd(ydd) rhwystredig lleihau unigrwydd mwyfwy

Y dyddiau hyn, 'dyn ni ddim yn meddwl ddwywaith cyn bancio neu siopa ar-lein, neu ddefnyddio'r Rhyngrwyd i siarad â pherthynas ym mhen draw'r byd.

Ond, mae mwy na thraean y bobl sydd dros 50 oed yng Nghymru yn methu defnyddio gwasanaethau ar-lein. Dewis personol yw hynny i rai, ond tlodi neu **ddiffyg** cyfleoedd yw'r rheswm i lawer.

Dyma enghraifft dda o berson hŷn yn cael ei adael ar ôl.

Cysylltodd dynes â'n tîm ni i gael help. Roedd cwmni ariannol wedi rhoi cyfarwyddiadau iddi hi i **ddiweddaru** ei manylion ar-lein. Doedd hi ddim yn defnyddio cyfrifiaduron, felly dywedodd y cwmni ariannol hwnnw wrthi hi am ddefnyddio ffurflen bapur. Ond i gael y ffurflen, basai angen iddi gysylltu â'r cwmni... drwy anfon ebost!

Mae llawer o bobl hŷn yng Nghymru yn wynebu heriau fel y rhain. Yn ôl yr ymchwil ddiweddaraf, gall **aelwydydd** sydd ddim ar-lein golli arbedion o hyd at £560 y flwyddyn. Mae nifer o gwmnïau hefyd yn cael gwared ar lythyrau, rhifau ffôn a swyddfeydd, gan symud at wasanaethau digidol yn unig. Mae hyn yn gwneud i rai pobl hŷn deimlo'n **rhwystredig**.

Heb os, gall technoleg wneud gwahaniaeth cadarnhaol i fywydau pobl hŷn. Mae'r gallu i siarad â ffrindiau neu deulu mewn rhannau eraill o'r byd, neu i ddatblygu hobïau newydd, yn helpu i **leihau unigrwydd**. Hefyd, gall pobl hŷn ennill sgiliau newydd i'w helpu i aros yn y gwaith neu i **ddychwelyd** i weithio. Mae technoleg hefyd yn help i ddysgwyr hŷn sy'n dysgu Cymraeg.

Mae llawer o waith da yn cael ei wneud ledled Cymru i annog pobl hŷn i fynd ar-lein. Ond mae'n hanfodol na fydd effaith negyddol ar **fywydau** pobl hŷn wrth i ni symud fwyfwy at dechnoleg ddigidol.

1. **Gyda'ch partner, dewch o hyd i'r ymadroddion hyn yn Gymraeg:**

   i. *these days* ....

   ii. *the other side of the world* ....

   iii. *challenges like these* ....

   iv. *to get rid of* ....

   v. *positive difference* ....

   vi. *throughout Wales* ....

   vii. *digital technology* ....

2. **Beth yw manteision ac anfanteision gwasanaethau ar-lein?** Trafodwch â'ch partner, yna rhestrwch dair o bob un:

Manteision	Anfanteision
1.	**1.**
2.	**2.**
3.	**3.**

Siaradwch: Dych chi'n defnyddio technoleg ddigidol yn eich bywyd bob dydd, neu dych chi'n teimlo eich bod chi'n cael eich gadael ar ôl?

Rhestr wirio

Dw i'n gallu...

defnyddio *hwn, hon, hyn, rhain / hwnna, honna, hynny, rheina.*	
siarad am wahanol ddulliau cyfathrebu.	

Uned 25 – Yr Amgylchedd

Nod yr uned hon yw...
- Ymarfer defnyddio **mewn** ac **yn**
- Siarad am yr amgylchedd
- Dysgu geirfa ac idiomau newydd

Geirfa

amlosgfa (amlosgfeydd)	*crematorium(s)*

cludiant cyhoeddus	*public transport*
cydbwysedd	*balance, equilibrium*
cynrychiolydd (-wyr)	*representative(s)*
newyn(au)	*famine(s), hunger*
sychder(au)	*drought(s), dryness*
sylw (sylwadau)	*comment(s)*

ailblannu	*to replant*
amlosgi	*to cremate*
amsugno	*to absorb*
ynysu (rhag)	*to insulate (from)*

Y Parchedig (Y Parch.)	*The Reverend*

cynhesu byd-eang	*global warming*
pwnc llosg	*burning issue, hot topic*

Geiriau pwysig i fi

....
× ×
....
× ×
....

Ymarfer

Ydy hi'n gweithio'n galed? Dyw hi ddim yn credu mewn gweithio'n galed.

Ydy hi'n gwneud ymarfer corff?

Ydy hi'n bwyta'n iach?

Ydy hi'n helpu pobl eraill?

Ydy hi'n ailgylchu sbwriel?

Oes diddordeb gyda fe mewn hanes? Oes, mae diddordeb gyda fe yn hanes Cymru.

Oes diddordeb gyda fe mewn nofelau?

Oes diddordeb gyda fe mewn barddoniaeth?

Oes diddordeb gyda fe mewn ffilmiau?

Deialogau – Mewn / Yn

Deialog 1

A: Bore da, Swyddfa'r Cyngor. Lyn yn siarad.

B: Bore da. Mae angen bagiau ailgylchu arna i. Ydyn nhw ar gael **yn** eich swyddfa chi?

A: Nac ydyn. Maen nhw ar gael **mewn** unrhyw lyfrgell, neu **yn** eich Swyddfa Bost leol.

B: Alla i gael bagiau bwyd **yn** fy llyfrgell hefyd?

A: Na allwch, mae'n flin 'da fi. Bydd rhaid i chi brynu bagiau bwyd **mewn** archfarchnad.

B: Pa un?

A: Maen nhw ar gael **yn** y ddwy archfarchnad yn y dref.

B: Diolch am eich help.

A: Hwyl!

Deialog 2

A: Wyt ti'n poeni am newid hinsawdd?

B: Dw i ddim yn meddwl bod angen poeni **mewn** gwirionedd.

A: Nac wyt ti?

B: Dw i ddim yn credu ei fod e'n effeithio arnon ni **yng** Nghymru.

A: Ddim eto, falle. Ond beth am bobl **mewn** gwledydd tlawd **ym** mhen draw'r byd?

B: Dim newid hinsawdd sy'n achosi'r problemau **yn** y gwledydd hynny.

A: Dw i'n anghytuno. Mae gwyddonwyr yn dweud bod newid hinsawdd yn effeithio ar bobl **ym** mhobman.

B: Rwyt ti'n poeni gormod am storïau **mewn** papurau newydd.

A: Nac ydw. Byddwn ni **mewn** trafferth cyn bo hir hefyd. Bydd y môr yn codi dros y tir **mewn** llawer o drefi **ym** Mhrydain.

B: Fel **yn** stori 'Cantre'r Gwaelod'?

A: Ie, dyna ti. Byddi di'n fy nghredu i wedyn!

Help llaw – Mewn / Yn

Amhendant *(Indefinite)* mewn + enw	Pendant *(Definite)* yn + y/yr + enw	Pendant *(Definite)* yn + enw pendant
Dw i'n gweithio mewn siop. *= in a shop*	Dw i'n gweithio yn y siop. *= in the shop*	Dw i'n gweithio yn siop John. *= in John's shop*
Dw i'n byw mewn tref. *= in a town*	Dw i'n byw yn y dref. *= in the town/in town*	Dw i'n byw yn nhref Caernarfon. *= in the town of Caernarfon*
Dw i'n gweithio mewn swyddfa. *= in an office*	Dw i'n gweithio yn y swyddfa. *= in the office*	Dw i'n gweithio yn swyddfa'r Cyngor. *= in the Council's office*
Dw i'n gweithio mewn ysbyty. *= in a hospital*	Dw i'n gweithio yn yr ysbyty. *= in the hospital*	Dw i'n gweithio yn Ysbyty Bronglais. *= in Bronglais Hospital*
Mae diddordeb gyda fi mewn llyfrau gwyddoniaeth. *= in science books*	Mae diddordeb gyda fi yn y llyfrau gwyddoniaeth hyn. *= in these science books*	Mae diddordeb gyda fi yn llyfrau gwyddoniaeth Dr Davies. *= in Dr Davies's science books*
Mae diddordeb gyda fi mewn hanes. *= in history*	Mae diddordeb gyda fi yn yr hanes. *= in the history*	Mae diddordeb gyda fi yn hanes Gogledd America. *= in North American history*
Mae'r sbwriel mewn sgip. *= in a skip*	Mae'r sbwriel yn y sgip. *= in the skip*	Mae'r sbwriel yn sgip Anna. *= in Anna's skip*

Hefyd ...

Mewn

• cyn **berfenwau**:	Does gyda fi ddim diddordeb **mewn gweithio**'n llawn amser. Dyw e ddim yn credu **mewn arbed** ynni.
• cyn **rhifau**:	Mae e'n gweithio **mewn tri** ysbyty. Torrodd hi ei braich **mewn dau** le.
ond:	Mae e'n canu **yn y ddau** gôr. *(in the two / in both)*
• gyda'r geiriau **rhyw** a **rhai**:	Maen nhw **mewn rhyw** gaffi newydd. **mewn rhai** sefyllfaoedd **mewn rhai** trefi
• o flaen **llawer, gormod, digon, ychydig**	Mae corau **mewn llawer** o drefi. Cyrhaeddais i **mewn digon** o amser.

Yn

• cyn **rhagenwau (fy, dy, ei, ein, eich, eu)**	**yn fy** marn i **yn eich** tŷ chi **yn ei** gwaith hi
• cyn **pob**	**ym mhob** gwlad **ym mhob** tref

Cofiwch: yn aml mae **y** yn Gymraeg lle does dim *the* yn Saesneg:

in town = yn y dref
in class = yn y dosbarth
in school = yn yr ysgol
in / at work = yn y gwaith
in bed = yn y gwely
at university = yn y brifysgol

Ymarfer

Rhowch **yn** neu **mewn** yn y bylchau. Efallai bydd rhaid treiglo hefyd.

1. Mae llygredd yn broblem .... dinasoedd mawr.
2. Does dim problem sbwriel .... fy mhentref i.
3. Rhowch eich eitemau plastig .... un o fagiau glas y cyngor.
4. Gallwch chi adael hen offer trydanol .... rhai safleoedd ailgylchu.
5. Rhowch eich gwastraff bwyd .... y bin bwyd.
6. Maen nhw'n casglu gwydr .... safle ailgylchu Nant-y-caws.
7. Does dim lle .... pentref bach fel hwn i ailgylchu batris.
8. Falle eich bod chi'n gallu ailgylchu batris .... ychydig o ysgolion yn yr ardal.
9. Gaf i roi fy hen feic .... eich sgip chi?
10. Gallwch chi roi gwastraff metel .... biniau.
11. Dylai fod safle ailgylchu .... pob ardal.
12. Dwyt ti ddim i fod i roi gwastraff bwyd .... tri bin.

Gyda'ch partner, trafodwch beth yw'r brawddegau hyn yn Gymraeg:

I saw her in school yesterday. ....

He should be in bed because he has a cold. ....

"What are we doing in class tonight?" ....

I see them in town every lunchtime. ....

We do our best to recycle in work. ....

She has a daughter at university. ....

Siaradwch

Gofynnwch i bump o bobl beth maen nhw'n ei wneud i helpu'r amgylchedd.

Enw	Ailgylchu	Cawod/bath	Diffodd y golau	Prynu nwyddau masnach deg

Gwylio a gwrando 1

Byddwch chi'n gwylio fideo o bobl yng Nghaerdydd ac yn Rhuthun yn siarad am eu harferion ailgylchu.

Gwnewch nodiadau. Yna, gyda phartner, paratowch grynodeb o **sylwadau** pobl yn y ddau le.

Caerdydd	Rhuthun

Siaradwch

Dych chi'n cytuno neu'n anghytuno'n gryf ag unrhyw beth mae rhywun yn ei ddweud yn y fideo?

Beth yw'r pwysica er mwyn gwella'r amgylchedd? Trafodwch mewn grwpiau, a rhowch nhw yn nhrefn eu blaenoriaeth.

Geirfa: amlosgi cludiant cyhoeddus ynysu

Paneli solar

Cael eich **amlosgi** yn hytrach na'ch claddu

Ailddefnyddio amlenni

Defnyddio **cludiant cyhoeddus**

Ailgylchu ffonau symudol

Bancio ar y we

Peidio â phrynu ffrwythau a llysiau mewn pecynnau

Ynysu'r to

Troi'r gwres i lawr

Diffodd y teledu a chyfrifiaduron, yn lle eu rhoi i gysgu

Gwylio a gwrando 2

Her yr Hinsawdd

Geirfa:

cynhesu byd-eang	**sychder**	**newyn**	**ailblannu**
Y Parchedig	**cynrychiolwyr**	**cydbwysedd**	**amsugno**

Byddwch chi'n gwylio rhan o'r rhaglen *Her yr Hinsawdd*, lle mae'r Athro Siwan Davies yn ymweld â Mbale yn Uganda i weld sut mae newid hinsawdd wedi effeithio ar fywydau pobl yno.

1. Beth mae Siwan Davies yn ei ddweud am...

y glaw? ....

y cnydau? ....

ailblannu coed? ....

2. Gorffennwch y brawddegau hyn:

i. Roedd y plant wedi paratoi .... i Siwan Davies.

ii. Mae Siwan Davies yn cael croeso mawr achos ....

....

iii. Bob tro mae babi yn cael ei eni yng Nghymru mae ....

.... yn Mbale.

3. Mae Siwan Davies yn dweud bod pobl Mbale yn 'gweld eisiau'r coed'. Beth mae hynny'n ei olygu? ....

Dych chi nawr yn gallu darllen *Llwybrau Cul* gan Mared Lewis (Gomer). Dyma'r clawr:

Rhestr wirio
Dw i'n gallu...

defnyddio **yn** a **mewn** yn gywir.	
siarad am yr amgylchedd a newid hinsawdd.	

Gwaith cartref
Unedau 1 – 25

Gwaith cartref Uned 1 – Her

i. Dych chi'n cofio'r geiriau hyn?

Allwch chi greu gair gwahanol gan ddefnyddio tri o'r geiriau isod? Er enghraifft:

ymdrech > ymdrechu

herio balchder corfforol pellter llongyfarch

1. ....

2. ....

3. ....

ii. Rhowch ffurf gywir y ferf yn y bylchau, gan dreiglo os oes angen.

1. .... hi hanner marathon pan oedd hi'n 60 oed. [rhedeg]

2. .... ti i'r dosbarth? .... i ddim. [cerdded]

3. .... e at y llinell derfyn a'i wynt yn ei ddwrn. [gwibio]

4. .... i ddim ar awyren, ... i ar long. [teithio, hwylio]

5. .... nhw'r map ond .... nhw ar goll. [darllen, mynd]

iii. Ysgrifennwch ddarn am rywbeth heriol dych chi neu rywun dych chi'n ei nabod wedi ei wneud. Rhedeg ras? Pobi llawer o gacennau? Mynd ar wifren sip? Dysgu sgìl newydd? Ceisiwch ddefnyddio berfau cryno yn eich gwaith, e.e. rhedais i, gwnes i.

iv. Darllenwch stori Guto Nyth Brân eto. Mae'r berfau sy'n dod o'r berfenwau hyn ar goll. Rhowch nhw yn y bylchau.

ennill	rhoi	gwibio
sylweddoli	trefnu	dod
cael	cwympo	rasio

Rhedwr cyflym iawn oedd Guto Nyth Brân. .... ei eni yn 1700 yn y Rhondda, a'i enw go iawn oedd Griffith Morgan. Cafodd ei lysenw achos ei fod yn byw ar fferm o'r enw Nyth Brân.

Pan oedd Guto'n fachgen ifanc, ... ei dad fod dawn arbennig ganddo. Roedd e'n gallu casglu defaid at ei gilydd yn gyflymach na'r cŵn, ac yn gallu dal ysgyfarnogod a llwynogod ar ei ben ei hun.

Cariad Guto oedd Siân y Siop, a hi oedd yn trefnu ei rasys. .... ras i Guto yn erbyn capten o Loegr ar Gomin Hirwaun, ger Aberdâr yn ne-ddwyrain Cymru. Doedd y capten erioed wedi colli ras. Ond Guto enillodd, a chafodd £400 yn wobr.

Ymhen amser, roedd Guto wedi trechu holl redwyr yr ardal. Ond, yn 1737, ... rhedwr newydd i'w herio, sef Prince o Fedwas.

.... Guto yn erbyn Prince o Gasnewydd i Fedwas (tua 12 milltir). Roedd cefnogwyr Prince wedi taflu gwydr ar y llwybr er mwyn ceisio anafu Guto. Prince oedd ar y blaen am amser hir, ond wrth ddringo'r rhiw serth ar y ffordd i mewn i Fedwas, ... Guto heibio iddo a'i wynt yn ei ddwrn. .... y ras mewn 53 munud, a'i wobr oedd 1,000 Gini (£150,000 heddiw).

Roedd Siân yn aros am Guto wrth y llinell derfyn. .... ei breichiau amdano, a churo'i gefn i'w longyfarch.

Roedd calon Guto'n curo'n drwm ar ôl ei waith caled. Yn drist iawn, ... Guto'n farw yn y fan a'r lle.

Gwaith cartref Uned 2 – Edrych i'r Dyfodol

i. Darllenwch y darn darllen **Trychfilod: bwyd y dyfodol?** unwaith eto, ac atebwch y cwestiynau hyn:

1. Beth fydd yr her yn y flwyddyn 2050?

   ....

2. Pa ddewisiadau sy'n cael eu trafod yn y darn i ddatrys y broblem?

   ....

3. Beth yw anfanteision y dewisiadau hynny?

   ....

4. Esboniwch beth yw The Grub Kitchen.

   ....

ii. Gan ddefnyddio'r dyfodol, ysgrifennwch beth fyddwch chi'n ei wneud wythnos nesaf.

Dydd Llun	
Dydd Mawrth	
Dydd Mercher	
Dydd Iau	
Dydd Gwener	
Dydd Sadwrn	
Dydd Sul	

iii. Meddyliwch am y gwaith grŵp 'Siarad am y dyfodol' wnaethoch chi yn y dosbarth. Ysgrifennwch ddau beth fydd yn digwydd yn y flwyddyn 2150, a dau beth fydd ddim yn digwydd, yn eich barn chi. Defnyddiwch bydd / byddwn ni neu fydd dim / fyddwn ni ddim i wneud brawddegau. Ysgrifennwch eich gwaith ar ddarn o bapur.

....

....

....

....

....

....

....

....

....

....

....

....

....

....

....

Gwaith cartref Uned 3 – Y Goedwig

i. Trowch y brawddegau hyn o amser y **gorffennol** i amser y **dyfodol**.

1. Aeth hi i'r dref. > .... *Aiff hi i'r dref.* ....
2. Clywodd e sŵn. ....
3. Bwytais i frechdan jam. ....
4. Helpodd dy frawd yr heddlu. ....
5. Daethon ni ar y trên. ....
6. Cerddon nhw yma. ....
7. Atebais i'r cwestiwn. ....
8. Gofynnodd e am help. ....

ii. Edrychwch eto ar y darn darllen 'Coedwigoedd yn Y Ffindir'. Dewch o hyd i **bum berfenw** ac ysgrifennwch frawddeg gyda nhw yn amser y dyfodol, e.e. treulio > Treulia i'r gwyliau haf yn Sbaen eleni.

1. ....
2. ....
3. ....
4. ....
5. ....

iii. **Ysgrifennu**: Ble dych chi'n hoffi mynd am dro? **neu** Ble dych chi'n hoffi mynd i ymlacio?

....

....

....

....

....

....

....

....

....

....

....

....

....

....

....

....

....

....

Gwaith cartref Uned 4 – Teimlo'n Lletchwith

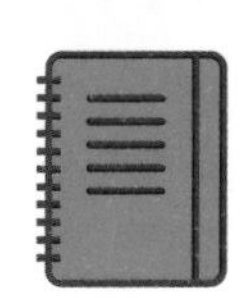

i. Ysgrifennwch gwestiynau i gyd-fynd â'r atebion hyn.

e.e. Ble hoffech chi fynd ar eich gwyliau?	Hoffwn i fynd i Awstralia.
....	Hoffai hi gael brechdan gaws.
....	Hoffen nhw chwarae pêl-droed.
....	Hoffen ni ragor o goffi.
....	Hoffai fe ddiffodd y radio.

ii. Edrychwch eto ar ddarn **Darllen 2** ac atebwch y cwestiynau hyn:

1. Pam mae rhai pobl yn poeni am golli'r 'chi'?

....

2. Mewn rhai ardaloedd, sut mae 'ti' a 'chi' yn cael eu defnyddio'n wahanol gyda bechgyn a merched?

....

3. Pam mae rhai pobl yn poeni am ddefnyddio 'ti'?

....

4. Pa wlad arall sy â phenbleth fel hyn?

....

5. Beth yw mantais 'ti' wrth ysgrifennu ar y we?

....

iii. Meddyliwch am y gair **trawsnewid**. Ysgrifennwch **ddau air** neu ymadrodd (*phrase*) yn defnyddio **traws**.

....

iv. **Ysgrifennu:** Ysgrifennwch ddarn byr am ddigwyddiad wnaeth i chi deimlo'n lletchwith, neu rywbeth sy'n gwneud i chi deimlo'n lletchwith yn aml. Defnyddiwch o leiaf un ferf amodol yn eich gwaith, e.e. **ddylwn i ddim bod wedi**.

Gwaith cartref Uned 5 – Celf

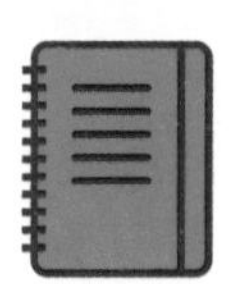

i. Cysylltwch y ddau gymal i greu brawddeg gyda **bod**:

1. Dwedodd Amanda — Mae hi'n gweithio yn yr Adran Gyllid.

....

2. Doedd dim syniad 'da fi — Ro'n nhw wedi mynd ar eu gwyliau.

....

3. Mae hi'n becso — Rwyt ti'n bwyta gormod o bethau melys.

....

4. Maen nhw'n credu — Dw i'n greadigol iawn.

....

5. Falle — Mae e'n dod yn ôl wythnos nesa.

....

ii. Rhowch eich barn am bedwar darn celf gan ddefnyddio **bod**. Gallwch chi ddewis darnau celf o fideo'r uned neu unrhyw rai eraill o'ch dewis chi.

e.e. Dw i'n hoff iawn o'r dderwen haearn yng Nghaerfyrddin. Dw i'n credu ei **bod** hi'n ein helpu ni i gofio hen chwedl leol.

1. ....

....

....

2. ....

....

....

3. ....

....

....

4. ....

....

....

Gwaith cartref Uned 6 – Y Môr

i. Yn y tabl cyntaf, ysgrifennwch gwestiynau i gyd-fynd â'r atebion. Yn yr ail dabl, rhowch eiriau i gytuno neu i anghytuno â gosodiadau. Mae'r rhai cyntaf wedi'u gwneud i chi.

Cwestiwn	Ateb
Ydy hi'n bwrw glaw tu fa's?	Ydy.
	Oes.
	Nac ydyn.
	Ie.
	Do.
	Ydw.
	Falle.

Gosodiad	Cytuno / Anghytuno
Bydd hi'n braf fory.	Bydd.
Mae teithio ar long yn hwyl.	
Mae gormod o raglenni realaeth ar y teledu.	
Cymru yw'r wlad harddaf yn y byd.	
Daeth y tiwtor i'r dosbarth mewn car.	
Roedd arholiadau'n anoddach yn y gorffennol.	
Nofio yw'r ymarfer corff gorau i gadw'n iach.	

ii. Yn eich geiriau eich hun, ysgrifennwch bum ffaith am longddrylliad y *Royal Charter.*

1. ....

2. ....

3. ....

4. ....

5. ....

iii. Ysgrifennwch am fordaith dych chi wedi bod arni, neu unrhyw wyliau neu drip i lan y môr.

....

....

....

....

....

....

....

....

....

....

....

....

....

....

....

....

Gwaith cartref Uned 7 – Arferion

i. Atebwch y cwestiynau isod ar ôl darllen y darn 'Arferion gwael':

1. Ble mae'r plant yn gadael eu llestri brwnt?

a. ....

b. ....

c. ....

ch. ....

2. Beth sy'n achosi perygl yn y gegin?

....

3. Beth sy'n digwydd i'r menyn?

....

4. Beth mae'r awdur yn ei ddweud am ei arferion gwael ei hun?

....

ii. Ysgrifennwch baragraff am un neu fwy o'ch arferion gwael chi, neu am arferion sy'n dân ar eich croen chi.

Gwaith cartref Uned 8 – Arwyr

i. Cyfieithwch y brawddegau hyn. Mae'r frawddeg gyntaf wedi'i gwneud i chi:

She was born in 1978.	Cafodd hi ei geni yn 1978.
The house will be built soon.	
The man was arrested yesterday.	
Two girls were injured in the accident.	
He was brought up in Cardiff.	
A meeting will be held next week.	
The problem was resolved.	

ii. Atebwch y cwestiynau hyn am Tanni Grey-Thompson.

1. Ble cafodd Tanni Grey-Thompson ei magu?

....

2. Aeth hi i'r brifysgol?

....

3. Beth ddigwyddodd iddi hi yn Eisteddfod y Bala, 2009?

....

4. Pa anrhydeddau gafodd hi gan y Frenhines?

....

5. Ysgrifennwch dri pheth y mae hi wedi'u gwneud ers ymddeol o fyd athletau.

....

....

....

iii. Ysgrifennwch ddarn am eich arwr / arwres chi.

....

....

....

....

....

....

....

....

....

....

....

....

....

....

....

....

....

....

....

....

....

Gwaith cartref Uned 9 – Trefnu Digwyddiad

i. **Lluniwch eitem i roi cyhoeddusrwydd i'r digwyddiad dych chi'n ei drefnu, e.e. poster, taflen, hysbyseb, cyhoeddiad ar gyfer y radio neu'r teledu.**

ii. **Dych chi'n gallu creu ansoddair gyda'r terfyniad –ol o'r enwau canlynol. Ysgrifennwch yr ansoddair:**

e.e. arfer	>	*arferol*
corff	>	....
cymdeithas	>	....
bwriad	>	....
allwedd	>	....
cystadleuaeth	>	....
ffaith	>	....

iii. **Isod, mae diffiniadau o enwau sydd wedi bod yng ngeirfa'r cwrs hyd yn hyn. Ysgrifennwch yr enw:**

e.e. Rhywun sy'n bennaeth ar bobl eraill:	*rheolwr*
Lle mae'r tir a'r môr yn cwrdd:	....
Y blaned 'dyn ni'n byw arni:	....
Help i goginio rhywbeth:	....
Beth fydd dyfarnwr yn ei chwythu ar ddechrau ac ar ddiwedd gêm:	....
Cyfres o bethau sy'n cael eu gwneud er mwyn cael newid:	....
Pethau drwg sy'n cael eu gollwng i'r amgylchedd:	....
Beth gawn ni yn yr ysgol neu'r coleg (ac yn y dosbarth Cymraeg, gobeithio!):	....

iv. Ewch drwy'r rhestr isod o eiriau o eirfa'r cwrs. Ysgrifennwch y gair yn y golofn gywir yn y tabl.

cyfeillgar
gwibio
llongyfarch
cysurus
pellter
diog
ymosod
poblogaeth
poblog
treulio
campfa
gwledd
prawf
creadigol
gelyn
ton
addo
pencampwriaeth
poblogaidd
cyfaddef
gwrthod
cyffredin

Ansoddair	Berfenw	Enw gwrywaidd	Enw benywaidd

Gwaith cartref Uned 10 – Cymuned

i. Llenwch y bylchau yn y brawddegau isod gan ddefnyddio geiriau addas.

1. Mae llygredd yn .... fan hyn ers iddyn nhw stopio casglu sbwriel ar ddydd Llun.
2. Does dim .... o bobl wedi dod i'r sioe eleni.
3. Mae'r busnes yn .... llwyddiannus ers cael grant i helpu gyda'r costau.
4. Hoffwn i ddod am dro gyda ti, ond dydy fy iechyd ddim .... ers i mi gwympo.
5. Mae hi'n ....heddiw na ddoe. Mae angen eli haul arna i!

ii. Edrychwch eto ar y darn darllen ac atebwch y cwestiynau hyn:

1. Pa waith oedd ar gael i Affricanwyr yng Nghaerdydd yn y bedwaredd ganrif ar bymtheg?

   ....

2. Ble yng Nghaerdydd roedd y rhan fwyaf o'r Somaliaid yn byw?

   ....

3. Beth ddigwyddodd ym mis Mehefin 1919?

   ....

4. Pwy oedd Mahmood Hussein Mattan?

   ....

5. Beth yw arwyddocâd *(significance)* yr enw 'Hamadryad'?

   ....

iii. Ysgrifennwch am y gymuned dych chi'n byw ynddi nawr, neu'r gymuned ro'ch chi'n byw ynddi pan o'ch chi'n blentyn.

....

....

....

....

....

....

....

....

....

....

....

....

....

....

....

....

....

....

....

....

Gwaith cartref Uned 11 – Teulu a Ffrindiau

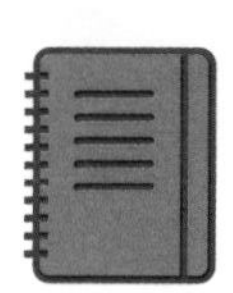

i. Llenwch y bylchau yn y brawddegau isod gan ddefnyddio'r ansoddeiriau cywir.

1. Rhys yw aelod .... y teulu. Mae e'n dair blwydd oed.
2. Aconcagua yw mynydd .... America i gyd.
3. Y llynedd cawson ni'r gaeaf........................ ers blynyddoedd. Cawson ni lawer o law.
4. Roedd pawb yn cytuno taw nhw oedd y band .... yn y gystadleuaeth. Roedden nhw'n wych!
5. Caerfyrddin yw'r dref .... Mae hi tua 4 milltir i ffwrdd.
6. Y llewpart yw un o'r anifeiliaid .... yn y byd.
7. Haf 1976 oedd un o'r rhai .... erioed.
8. Yr heol hon yw'r .... yn yr ardal. Mae hi'n llawn tyllau.

ii. Edrychwch eto ar y darn darllen ac atebwch y cwestiynau hyn:

1. Pam mae hi'n anodd ymchwilio i hanes y teulu yng Nghymru?

   ....

2. Sut roedd cyfenwau yng Nghymru yn wahanol i Loegr yn y gorffennol?

   ....

3. Sut roedd menywod yn cael eu cyfenwau?

   ....

4. Rhowch enghraifft o gyfenw sy'n dod o air Cymraeg i ddisgrifio person.

   ....

5. Allwch chi feddwl am **ddau** berson sy'n defnyddio cyfenw 'ap' neu gyfenw sy'n defnyddio enw lle?

   ....

iii. Ysgrifennwch bortread o ffrind neu aelod o'ch teulu.

Gwaith cartref Uned 12 – Bwyd

i. Beth yw ffurfiau lluosog y geiriau hyn?

stordy .... cegin .... popty ....

cyllell .... fforc .... llwy ....

sosban .... powlen .... cwpan ....

ii. Edrychwch eto ar y darn darllen ac atebwch y cwestiynau hyn:

1. Ble mae'r Wladfa?

....

....

2. Pa fath o fwydydd y gall llysieuwyr eu bwyta yn y Wladfa?

....

....

3. Pa fath o ddiod yw *mate*?

....

....

4. Beth basech chi'n ei fwyta mewn *asado*?

....

....

5. Pam mae'r *quincho* fel arfer ar wahân i'r tŷ?

....

....

iii. Ysgrifennwch am y prydau bwyd mwya cofiadwy dych chi wedi'u cael. Efallai eich bod chi wedi cael prydau bwyd diddorol mewn gwledydd tramor, neu efallai bod y cwmni'n bwysicach na'r bwyd i chi...

....

....

....

....

....

....

....

....

....

....

....

....

....

....

....

....

....

....

....

Gwaith cartref Uned 13 – Byw heb...

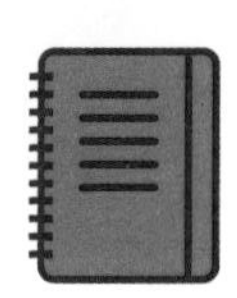

i. Edrychwch eto ar y darn darllen o wefan *BBC Cymru Fyw* ac atebwch y cwestiynau isod:

1. Am faint mae i) cyfnod Ramadan, a ii) y Grawys yn para?

   a. ....

   b. ....

2. Pa effaith y mae coffi'n ei chael ar Rhodri Owen?

   ....

3. Beth mae'r deunydd trin gwallt yn ei wneud, yn ôl Eleri Siôn?

   ....

4. Beth sydd i) yn gadarnhaol (da) , a ii) yn negyddol (drwg), ynglŷn â *Twitter*, yn ôl Tudur Owen?

   a. ....

   b. ....

ii. Llenwch y bylchau ag arddodiaid:

1. Dw i'n gofalu .... y cathod tra bydd Mr a Mrs Hughes ar eu gwyliau.
2. Gofynnwch .... Alun ddod .... bara, i fi gael gwneud brechdanau at fory.
3. Roedd pawb yn edrych ....fe wrth iddo fe gerdded ar hyd y llwybr.
4. Roedd Siôn a Dafydd yn hwyr yn dod yn ôl ac roedd y bws bron â mynd .... nhw.
5. Wyt ti'n mynd i weld Marged? Cofia fi .... hi!

iii. Ysgrifennwch frawddegau sy'n cynnwys y parau yma o ferfau ac arddodiaid. Gallwch ddefnyddio unrhyw amser y ferf:

1. chwilio am

....

2. dweud wrth

....

3. gwrando ar

....

4. gofyn i

....

5. sylwi ar

....

iv. Ysgrifennwch baragraff am y profiad o geisio byw heb rywbeth am gyfnod, neu am rywbeth na allech chi byth fyw hebddo.

....

....

....

....

....

....

....

....

....

....

....

Gwaith cartref Uned 14 – Ffasiwn

i. **Llenwch y bylchau yn y brawddegau hyn ag arddodiaid cyfansawdd addas.**

1. **(ar bwys)** Mae e eisiau i ti eistedd .... e.
2. **(o flaen)** Do'n i ddim yn disgwyl i ti gyrraedd .... i. Rwyt ti fel arfer yn hwyr!
3. **(o blaid)** Mae pawb yn anhapus am y newidiadau yn y gwaith. Doedd neb ....
4. **(ar draws)** Mae Megan yn dweud rhywbeth pwysig. Peidiwch â thorri .... hi.
5. **(ar gyfer)** Bydd Tad-cu wrth ei fodd gyda'i barti syrpreis! Mae popeth yn barod .... e.
6. Doedd neb yn cystadlu .... e am y swydd.
7. Edrycha lan! Mae gwe pry copyn anferth .... di.
8. Dw i wedi colli fy mhwrs. Falle ei fod e y .... 'r soffa.
9. Rwyt ti'n cwrdd â phobl bwysig heddiw. Mae angen i ti wisgo'n daclus .... nhw.
10. Beth dych chi wedi bod yn ei wneud? Edrychwch ar yr annibendod o'ch chi! ....

ii. **Edrychwch ar y geiriau wnaethoch chi eu nodi yn y blwch Geirfa Dillad.** Dewiswch bump o'r geiriau hyn, ac ysgrifennwch bum brawddeg yn eu defnyddio nhw.

1. ....
2. ....
3. ....
4. ....
5. ....

iii. Ysgrifennwch am eich hoff ddilledyn. Pam dych chi'n ei hoffi? **neu,** Oes diddordeb gyda chi mewn dillad? Dych chi'n sylwi ar ddillad pobl fel arfer?

Gwaith cartref Uned 15 – Amser

i. Cywirwch y camgymeriadau yn y brawddegau hyn. Mae un frawddeg yn gywir. Pa un?

1. Mae hi'n chwech ar ddeg blwydd oed.
2. Maen nhw'n briod ers dau flynedd ar bymtheg.
3. Ydy'r rhaglen yn dechrau am bump ar hugain munud wedi wyth?
4. Tri blwydd oed yw e.
5. Yr unfed ar ddegfed ar hugain o Hydref yw diwrnod Calan Gaeaf.
6. Fyddi di'n ymddeol cyn cael dy ben-blwydd yn drigain?
7. Roedd pedair plentyn ar ddeg yn canu calennig yn y pentref.
8. Roedden ni yn yr ysbyty am ddau awr ar hugain.

ii. Edrychwch eto ar y darn darllen ac atebwch y cwestiynau hyn.

1. Sut mae athrawon yn dysgu rhifau i blant yn ôl yr erthygl?

   ....

2. Pam roedd John Ifans eisiau defnyddio rhifau traddodiadol?

   ....

3. Pam mae'n syndod bod Aled Glynne Davies yn deall y bwletin Saesneg yn well na'r bwletin Cymraeg?

   ....

4. Pam roedd Aled Glynne Davies eisiau bod yn newyddiadurwr?

   ....

iii. Ysgrifennwch am: Beth dych chi'n hoffi ei wneud yn eich amser hamdden?
neu Beth fasech chi'n hoffi ei wneud tasai mwy o amser gyda chi? Pam?

Gwaith cartref Uned 16 – Y tro cynta!

i. Ysgrifennwch y ganrif yn hytrach na'r flwyddyn:

1. Digwyddodd Brwydr Passchendaele yn 1917.

   ....

2. Bu farw Owain Glyndŵr tua 1416.

   ....

3. Enillodd Einstein Wobr Nobel yn 1921.

   ....

4. Ganwyd Harri Tudur yng Nghastell Penfro yn 1457.

   ....

5. Daeth y Llychlynwyr *(Vikings)* i Gymru yn 852.

   ....

6. Cyhoeddwyd y nofel *Rhys Lewis* gan Daniel Owen yn 1885.

   ....

7. Cyrhaeddodd Cymru rownd gyn-derfynol yr Euros yn 2016.

   ....

8. Ganwyd Joseph Parry, cyfansoddwr 'Myfanwy' ym Merthyr yn 1841.

   ....

ii. Cyfieithwch:

during the third break ....

after the fourth workshop ....

the second priority in the strategic plan ....

the fifth note in the bar ....

iii. Edrychwch eto ar y darn darllen ac atebwch y cwestiynau hyn.

1. Sut mae teimladau Elin a Sharon yn wahanol am y plentyn cynta yn gadael y nyth?

   ....

2. Sut roedd Elin yn cysylltu â'i rhieni pan oedd hi yn y coleg?

....

3. Yn ôl Sharon, pa bethau ymarferol sy'n wahanol yn y tŷ ar ôl i'r plant fynd?

....

4. Pa eiriau mae Elin a Sharon yn eu defnyddio yn lle'r rhai isod?

eisiau .... crio ....

cyflym .... ceisio ....

iv. Geirfa Uned 16

Beth yw'r gair?

dim ond un sydd	
mynd 'nôl	
sefyll o flaen cerddorfa	
torri tir newydd	
gwynt mawr	
dydd Gwener adeg y Pasg	
tri diwrnod	
cyn y ffeinal	
mewn gwaith	
sgiliau darllen ac ysgrifennu	

v. Edrychwch yn ôl ar y geiriau yn y blwch 'tro cynta' ar ddechrau'r uned. Dewiswch **dri** ohonyn nhw ac ysgrifennwch baragraff (tua 100 gair) yr un amdanyn nhw o'ch profiad personol chi.

Gwaith cartref Uned 17 – Trefnu Taith

i. Ysgrifennwch lythyr neu ebost at aelodau eraill y dosbarth yn rhoi manylion eich taith.

ii. Llenwch y bylchau yn y tabl i ddweud pa eiriau sy'n cael eu defnyddio wrth sôn am bobl o'r gwledydd hyn, eu hiaith a phethau sy'n perthyn i'r wlad:

Gwlad/Cenedl	Pobl	Iaith	Pethau
Rwsia	Rwsiaid		
Yr Eidal			Eidalaidd
Iwerddon	Gwyddelod		
Lloegr			
Cymru			

iii. **-gar**, **-aidd**, **-us** neu **-ol** – Dewiswch y terfyniad cywir er mwyn creu **ansoddair** o'r **enwau** canlynol. Bydd rhaid newid rhannau eraill o'r gair hefyd gyda rhai ohonyn nhw:

e.e. cartref > cartrefol

hyder > ....

democratiaeth > ....

cyfaill > ....

rheol > ....

gwaith > ....

awydd > ....

iv. Isod, mae diffiniadau o **enwau** sydd wedi bod yng ngeirfa Unedau 9–16 y cwrs. Ysgrifennwch yr **enw**:

e.e. Y peth y dylech chi ei wneud yn gyntaf: ....blaenoriaeth........

1. Y pethau 'dyn ni'n eu gwisgo'n gyntaf: ....

2. Yr hyn dych chi'n ei synhwyro â'ch trwyn: ....

3. Ffordd o roi gwybod i lawer o bobl am ddigwyddiad neu atyniad neu nwyddau: ....

4. Arian dych chi'n ei dalu ymlaen llaw am rywbeth – rhan o'r gost: ....

5. Y gallu i ddarllen ac ysgrifennu: ....

6. Y ffordd i mewn i adeilad neu safle: ....

7. Pan mae'r haul yn mynd i lawr: ....

8. Sefyllfa anodd a pheryglus lle mae rhaid gweithredu'n sydyn: ....

v. Ewch drwy'r rhestr isod o eiriau sy'n dod o eirfa'r cwrs. Ysgrifennwch y gair yn y golofn gywir yn y tabl.

llyfn
berwi
chwerw
canolbwynt
lledu
cenhedlaeth
cymhleth
gofal
crogi
gweithgar
elusen
cyfanswm
cyfrannu
cronfa
gwau
llac
mantais
ffynnu

Ansoddair	Berfenw	Enw gwrywaidd	Enw benywaidd

vi. Dewiswch **bump** o'r geiriau uchod ac ysgrifennwch frawddegau'n cynnwys y geiriau hynny.

Gwaith cartref Uned 18 – Does unman yn debyg i gartref...

i. Cyfieithwch y brawddegau hyn. Cofiwch ddefnyddio **y**.

1. *I think that you should go on the train.*

   ....

2. *She hopes that you will clean the kitchen.*

   ....

3. *They think that they will get a lot of money for the house.*

   ....

4. *Maybe we should work in the garden tomorrow.*

   ....

5. *Do you think that she will like this wallpaper?*

   ....

ii. Unwch ddau hanner y brawddegau:

Maen nhw'n meddwl	bydd y perchennog yn cau'r ffatri cyn bo hir.
Dw i mor falch	maen nhw wedi derbyn y cynnig.
Dwedodd yr heddlu	roedd e'n cael ei gysuro gan y cymdogion.
Ro'n i'n gwybod	baset ti'n bwyllog.
Maen nhw'n gobeithio	byddan nhw'n teithio am flwyddyn gron.
Clywais i	mae e'n aros mewn bwthyn anghysbell.

iii. Darllen a Deall

Edrychwch eto ar y darn darllen ac atebwch y cwestiynau hyn.

1. Faint oedd oed Anna pan welodd hi Nant yr Aur y tro cyntaf?

....

2. Pam dych chi'n meddwl ei bod hi'n mynd i Nant yr Aur pan oedd hi'n ifanc?

....

3. Pa eiriau yn y darn sy'n disgrifio Anna?

....

4. Pam roedd hi'n hawdd i Anna feddwl taw hi oedd perchennog Nant yr Aur?

....

iv. Ysgrifennwch ddisgrifiad o'ch cartref chi, **neu** ystafell yn eich cartref chi.

....

....

....

....

....

....

....

Ar gyfer y wers nesaf: Byddwn ni'n siarad am gerddoriaeth. Dewch â'ch hoff record/**CD** neu lun o'ch hoff fand / artist unigol i'r wers.

Gwaith cartref Uned 19 – Cerddoriaeth

i. Llenwch y bylchau yn y brawddegau hyn. Does dim pwyslais ym mhob un o'r brawddegau.

1. Maen nhw'n credu .... cantores opera fydd hi ar ôl gadael y coleg.
2. Dw i'n credu .... angen i ni ddiffodd y gerddoriaeth. Mae'n rhy swnllyd!
3. Y gred yw ....The Beatles yw'r band mwyaf llwyddiannus erioed.
4. Wyt ti'n credu taw pianydd .... e?
5. Mae hi'n dweud .... band da yn y neuadd heno.
6. Efallai .... gitâr yn yr atig yng nghanol yr annibendod.
7. Mae hi'n meddwl .... ymarfer ychydig bach bob dydd yw'r gyfrinach.
8. Mae e'n credu ei .... e'n gallu canu'n dda iawn.
9. Efallai .... telyn yw'r offeryn yn y darn yma.

ii. Darllenwch y darn darllen eto ac atebwch y cwestiynau hyn, heb edrych yn ôl ar y darn os gallwch chi beidio.

1. Faint o aelodau oedd yn Y Blew?

   ....

2. Ble chwaraeon nhw eu gigs cyntaf?

   ....

3. Sut roedd Y Blew yn wahanol i fandiau Cymraeg eraill y cyfnod? Rhowch **ddau** reswm.

   ....

   ....

4 Pam wnaeth y band ddim perfformio yn y gogledd?

   ....

5. Ble roedd yr Eisteddfod yn 1997?

   ....

6. Beth sy wedi cael ei enwi ar ôl sengl Y Blew?

   ....

iii. **Ysgrifennwch ddarn am gân arbennig.** Pam mae hi'n bwysig i chi?
Neu, ysgrifennwch am fath o gerddoriaeth dych chi ddim yn ei hoffi o gwbl.

Gwaith cartref Uned 20 – Fi yw'r person gorau ar gyfer y swydd!

i. Newidiwch y brawddegau isod fel bod y pwyslais ar y **goddrych**:

1. Mae Jac yn gweithio yn y caffi dros yr haf.

....

2. Mae Alys yn mynd i ddosbarth nos.

....

3. Maen nhw'n mwynhau darllen nofelau ditectif.

....

4. Mae Dafydd yn gweithio yng nghangen Pontypridd.

....

Newidiwch y brawddegau isod gan bwysleisio'r geiriau sy wedi'u tanlinellu:

1. Mae Elis yn astudio mewn dosbarth nos.

....

2. Mae parti ymddeoliad Tom nos Wener.

....

3. Roedd e'n gweithio yn ffatri Jenkins a Jenkins.

....

4. Mae'r ymgeisydd yn ystafell aros 2.

....

ii. Darllen a deall

Edrychwch eto ar y darn darllen am Eirlys Lewis, ac atebwch y cwestiynau hyn.

1. Pam gadawodd Eirlys yr ysgol pan oedd hi'n bymtheg oed?

2. Â beth roedd rhaid iddi hi gyfarwyddo yn ei swydd gyntaf?

3. Beth sy'n cael ei ddweud am gyflog Eirlys?

4. Oedd iechyd a diogelwch yn bwysig yn ffatri Pullman?

5. Pam roedd Eirlys yn mwynhau ei gwaith?

6. Dych chi'n meddwl bod cyfle cyfartal i fechgyn a merched y dyddiau hyn?

iii. Ysgrifennwch ddarn am y swydd waethaf neu'r swydd orau dych chi wedi'i gwneud. **Neu,** ysgrifennwch am gyfweliad gawsoch chi am swydd.

Gwaith cartref Uned 21 – Anifeiliaid anwes

i. Llenwch y bylchau yn y brawddegau isod.

1. Tasai llwybr beic yn y dref, (seiclo)........................... i i'r gwaith bob dydd.
2. (Dyl-) .... ti fynd â'r ci am dro ddwywaith y dydd.
3. Taswn i ddim yn gweithio bob dydd, (prynu) .... i gi.
4 Gallen nhw .... wedi dy helpu di i symud y bocsys trwm.
5. (Dyl-)......................... chi gofio cloi'r drws bob amser.
6. (Hoffi) .... hi fynd i deithio'r byd ond mae'n rhaid iddi hi dalu'r morgais.
7. Tasen nhw'n dod i'r gwaith yn gynnar, (gallu) .... nhw gael brecwast yn y ffreutur.
8. Taswn i'n gallu dal bws i'r dref, (gwerthu) .... i fy nghar.
9. Tasai hynny'n bosib, (talu) .... fe am y car mewn arian parod.
10. Tasai waliau'r tŷ yn fwy trwchus, (clywed) .... chi mo sŵn y cymdogion.

ii. Darllen a deall

Edrychwch eto ar y darn darllen ac atebwch y cwestiynau hyn.

1. Beth sydd ym Meddgelert i gofio am Gelert?

....

2. Yn fersiwn gynharaf chwedl Gelert, sut mae Gelert yn marw?

....

3. Sut mae Gelert yn marw yn ail fersiwn y chwedl?

....

4. Pam mae rhai pobl yn credu nad yw'r stori yn perthyn i Feddgelert?

....

iii. **Ysgrifennwch restr o bwyntiau'n esbonio pam mae cathod yn well na chŵn fel anifeiliaid anwes (neu fel arall!)** er mwyn perswadio rhywun arall yn eich cartref pa un fyddai orau.

Gwaith cartref Uned 22 – Teithio Cymru

i. Cyfieithwch y brawddegau hyn, gan ddefnyddio **byth** ac **erioed** yn gywir.

1. *I never drink coffee.*

....

2. *She's never been abroad.*

....

3. *I had never eaten sushi before going to Japan.*

....

4. *He was shouting "Wales forever!"*

....

5. *We never ate chips when we were children.*

....

6. *I'd never go out by myself.*

....

7. *Have you ever been on a skiing holiday?*

....

8. *They will never go to that garage again.*

....

9. *I never think about work when I'm at home.*

....

10. *I never heard him talking about his family.*

....

ii. Darllen a deall

'008: Llanberis' ***o Cymru: y 100 lle i'w gweld cyn marw*** gan John Davies a Marian Delyth (Y Lolfa, 2009).

Geirfa:

arwyddocaol	**amlycaf**	**diwydiannol**	**chwarel**
cangen (canghennau)	**nodedig**	**generadur(on)**	**ambell**

Mae Llanberis yn agos at fod ar ben y rhestr o'r llefydd 'rhaid eu gweld' yng Nghymru. Yn wir, mae'n anodd meddwl am unrhyw le arall o faint Llanberis (2,018 o drigolion) sy'n cynnig cynifer o atyniadau **arwyddocaol** i ymwelwyr. Daeth rhai o'r atyniadau **amlycaf** o hanes **diwydiannol** y lle – **Chwarel** Dinorwig, Amgueddfa Lechi Cymru a Gorsaf Bŵer Dinorwig.

Caeodd **Chwarel** Dinorwig yn 1969, a sefydlwyd Amgueddfa Chwarelyddol Gogledd Cymru yn yr hen weithdai. Daeth y sefydliad yna'n Amgueddfa Lechi Cymru, un o **ganghennau**'r Amgueddfa Genedlaethol. Heblaw am Sain Ffagan, dyma'r hyfrytaf o saith **cangen** y sefydliad hwnnw.

O holl ryfeddodau ardal Llanberis, y mwyaf **nodedig** yw Gorsaf Bŵer Dinorwig a agorwyd yn 1984. Mae'r orsaf yn pwmpio dŵr o Lyn Peris (100 metr uwchben lefel y môr) i Lyn Machlyn Mawr (580 metr uwchben lefel y môr), ac wedyn yn gollwng y dŵr i lawr 480 metr i weithio'r **generaduron** yn y siambr enfawr y tu ôl i'r hen **chwarel**.

Atynfa fwyaf poblogaidd Llanberis yw trên bach yr Wyddfa. Mae'n rhedeg ar y rheilffordd 7.524 cilomedr sy'n **caniatáu** i ymwelwyr gyrraedd y copa mewn awr – sef mwy neu lai'r amser y mae cystadleuwyr cyflymaf Ras yr Wyddfa yn ei gymryd i redeg o Lanberis i'r copa ac yn ôl. Agorwyd y rheilffordd yn 1896, ac roedd yn dibynnu'n llwyr ar stêm tan 1986, pan ddechreuodd ambell injan disel redeg ar y lein. Pan oedd glo'n brin ar ôl yr Ail Ryfel Byd, roedd y rheilffordd yn dibynnu ar losgi hen esgidiau milwyr.

1. Beth sy'n cysylltu'r tri atyniad y mae John Davies yn sôn amdanyn nhw?

   ....

2. Mae'r darn yn sôn am yr Amgueddfa Lechi. Pa gangen arall o'r Amgueddfa Genedlaethol sy'n cael ei henwi?

   ....

3. Faint o amser mae trên bach yr Wyddfa yn ei gymryd i gyrraedd y copa?

   ....

4. Beth roedd y rheilffordd yn ei wneud gyda hen esgidiau milwyr?

   ....

5. Beth ddigwyddodd yn y blynyddoedd hyn?

   1969 ....

   1984 ....

   1896 ....

   1986 ....

iii. Dych chi eisiau perswadio ffrind i fynd ar wyliau i'ch hoff le yng Nghymru. Dyw e/hi erioed wedi bod yno. Mewn 150–200 o eiriau, esboniwch beth sydd i'w wneud yno, pam mae'r lle mor arbennig i chi a pham dylai fe/hi ymweld â'r lle.

....

....

....

....

....

....

....

....

....

....

....

....

....

....

....

....

....

....

....

iv. Dewch â llun o rywle yng Nghymru i siarad amdano yn y wers nesaf.

Gwaith cartref Uned 23 – Mynd allan am fwyd

i. Ysgrifennwch lythyr neu ebost at aelodau eraill y dosbarth yn rhoi manylion y trefniadau i fynd allan am bryd o fwyd.

ii. Mae llawer o **ferfenwau**'n cael eu ffurfio trwy ychwanegu terfyniad sy'n **un llafariad yn unig** at enw neu ansoddair (**-o**, **-u**, **-i** neu **-a**) – Dewiswch y terfyniad cywir er mwyn creu **berfau** o'r **enwau/ansoddeiriau** canlynol. Bydd rhaid newid rhannau eraill o'r gair hefyd gyda rhai ohonyn nhw:

e.e.	cysur	>	..........cysuro..........
	cartref	>	....
	dosbarth	>	....
	diogel	>	....
	croes	>	....
	dwbl	>	....
	cyfarwydd	>	....
	hysbyseb	>	....
	pwyll	>	....
	rhew	>	....

iii. Isod, mae diffiniadau o **enwau** sydd wedi bod yng ngeirfa Unedau 9-16 y cwrs.

Ysgrifennwch yr **enw**:

e.e.	Rhywun sy'n siarad ar ran rhywun arall:	..........llefarydd..........
	Rhywun sy'n sefyll etholiad neu arholiad:	....
	Pan mae'r tir yn ysgwyd:	....
	Rhywle lle nad oes unrhyw beth yn tyfu:	....
	Aelod o grŵp roc sy'n canu'r rhan fwyaf o'r geiriau:	....
	Benthyciad er mwyn prynu tŷ:	....
	Beth sy'n effeithio ar faint dych chi'n ei dalu'n ôl am y benthyciad:	....

Ble mae cerrig yn cael eu torri o'r graig: ....

Gwybodaeth sy'n profi bod rhywbeth yn wir: ....

Llinyn ar gitâr neu delyn: ....

iv. Ewch trwy'r rhestr isod o eiriau sy'n dod o eirfa'r cwrs. Ysgrifennwch y gair yn y golofn gywir yn y tabl.

canrif
perchennog
ffyddlon
cangen
nodyn
trydanol
amddiffyn
pwyllog
arwyddocaol
rhyddhau
curiad
porthladd
tystiolaeth
bodoli
cynefin
ymddwyn
gwarchod

Ansoddair	Berfenw	Enw gwrywaidd	Enw benywaidd

v. Dewiswch **bump** o'r geiriau uchod ac ysgrifennwch frawddegau'n cynnwys y geiriau hynny:

....

....

....

....

....

Gwaith cartref Uned 24 – Cyfathrebu

i. Edrychwch eto ar y darn darllen 'Ar-lein, ar ei hôl hi?' ac atebwch y cwestiynau hyn:

1. Pam doedd y fenyw ddim yn gallu diweddaru ei manylion?

   ....

2. Beth mae rhai pobl yn ei golli achos eu bod nhw ddim yn defnyddio gwasanaethau digidol?

   ....

3. Beth sy'n gwneud i rai pobl hŷn deimlo'n rhwystredig?

   ....

ii. Sut mae technoleg yn gallu helpu pobl hŷn? Nodwch bedwar peth.

1. ....
2. ....
3. ....
4. ....

iii. Ysgrifennwch dair brawddeg yn defnyddio *hwn*, gan ddilyn y patrwm.
Mae hwn yn gi drwg.

1. ....
2. ....
3. ....

Ysgrifennwch dair brawddeg yn defnyddio *hon*, gan ddilyn y patrwm.
Mae hon yn gadair gyfforddus.

1. ....
2. ....
3. ....

Ysgrifennwch dri ymadrodd yn defnyddio **hyn/hynny**, e.e. erbyn hyn.

1. ....
2. ....
3. ....

iv. **Ysgrifennwch lythyr** at unrhyw berson o'ch dewis chi, yn sôn am rywbeth dych chi wedi'i wneud yn ddiweddar (tua 200 o eiriau).

Gwaith cartref Uned 25 – Yr Amgylchedd

i. Cyfieithwch y darn yma.

I live in a small village in west Wales called Llanaber. In 2010, Llanaber won an award: the tidiest village in Wales. It's a tidy village these days too. We put plastic and metal waste in blue bags. We put food waste in the food bin. I have no interest in gardening but there are bags for garden waste. Usually, people put their rubbish in the correct bags.

....

....

....

....

....

....

....

....

ii. Darllen a deall: *Her yr Hinsawdd*

Geirfa:				
Athro	**eiddo**	**ffyrnig**	**lledaenu**	**erwau**
sychder	**talaith**	**cynyddu**	**sobri**	

Wrth ffilmio cyfres *Her yr Hinsawdd* yng Nghaliffornia, cwrddodd yr **Athro** Siwan Davies â Donna Fink, a gollodd ei gŵr a'i holl **eiddo** mewn tân **ffyrnig** ym mis Gorffennaf 2016. Bu bron i 3,000 o ymladdwyr tân yn ceisio diffodd y tân enfawr. Symudwyd deg mil o bobl o'u cartrefi a **lledaenodd** y tân dros 37,000 o **erwau**.

Mae gan Donna Fink farn bendant iawn am y **sychder** yn y **dalaith** a'r newidiadau yn yr hinsawdd.

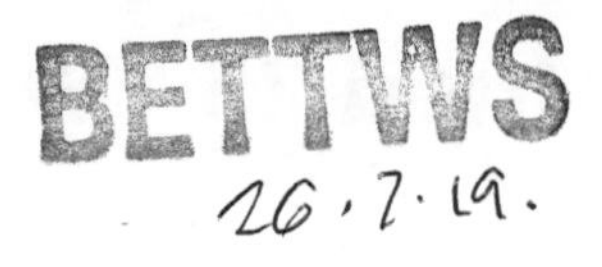

"Baswn i'n dweud, yn ystod y pum mlynedd diwethaf, fod newid hinsawdd wedi effeithio arnon ni'n fawr iawn. Mae hi wedi bod yn sych iawn, iawn a dw i'n credu bod nifer y tanau wedi **cynyddu**," meddai Donna. "Collais i bopeth yn y tân, y cwbl oedd gyda fi oedd y dillad amdana i."

Mae Siwan yn cyfaddef ei bod hi wedi cael ei sobri gan **stori** Donna, ac mae'n anodd iddi hi ddeall rhai pobl sy'n gwrthod derbyn bod newid hinsawdd yn digwydd a'i bod hi'n broblem go iawn.

"Mae pobl Califfornia yn byw mewn ofn. Dim gwledydd tlawd fel Affrica a Costa Rica yn unig sy'n wynebu heriau'r hinsawdd; mae gwledydd cyfoethog y byd yn teimlo'r effeithiau hefyd."

1. Ym mha dalaith yn Unol Daleithiau America roedd yr Athro Siwan Davies yn ffilmio?

....

2. Beth ddigwyddodd i Donna Fink ym mis Gorffennaf 2016?

....

3. Beth yw arwyddocâd y rhifau hyn yn y darn?

3,000 ....

37,000 ....

4. Sut mae newid hinsawdd wedi effeithio ar y dalaith, yn ôl Donna Fink?

....

iii. Ysgrifennwch ddau baragraff i fynegi eich barn am un o'r pethau hyn: ynni adnewyddadwy, ailgylchu, newid hinsawdd neu sbwriel.